DE JONGEN DIE VOETBALLER WILDE WORDEN

Dick Schulte

De jongen die voetballer wilde worden

Uitgeverij Landauer Maastricht
2006

CIP-gegevens Koninklijke Bibliotheek, Den Haag

© 2006 Dick Schulte en Uitgeverij Landauer

ISBN: 90-809983-2-X
NUR: 283

www.uitgeverij-landauer.nl

'Als je de mogelijkheid hebt om iets voor een ander te doen, dan moet je dat doen.'

Johan Cruijff

1. Buitenspel

'Ik leg het nog één keer uit.'

Hannes keek naar Donna en Dubbelbil. Hij wist dat hij het volgende week nog een keer moest uitleggen. Ze luisterden namelijk niet. Of het interesseerde ze niet. Of ze waren gewoon niet slim genoeg om het te begrijpen.

Dat laatste was niet waar. Donna en Dubbelbil waren allebei heel slim, maar van spelregels hadden ze geen verstand.

Hij zette drie lege blikjes op straat en begon opnieuw uit te leggen wanneer een speler buitenspel stond.

'Een speler staat buitenspel wanneer hij, op het moment dat de bal naar hem toe gespeeld wordt, dichter bij de doellijn van de tegenstander staat dan de bal.'

'Behalve...' gaapte Dubbelbil.

'Behalve als hij nog op zijn eigen speelhelft staat.'

'Of...' zei Donna.

Hannes schoof met de blikjes. 'Of als er twee tegenstanders dichter bij de doellijn staan dan hij.'

Iemand wilde zijn auto parkeren op de plek waar Hannes zijn blikjes had gezet.

'Een Lexus,' zei Donna. 'Cool.'

Hannes trapte het blikje dat buitenspel stond keihard weg.

Waarom lette er nooit iemand op als hij iets uitlegde?

Het blikje vloog op een lantarenpaal en ketste terug. Tegen de deur van de Lexus.

Uit de auto stapte een vrouw. Ze praatte in haar mobiel en keek naar de deur waar het blikje tegenaan was geknald.

'Heeft een van jullie iets tegen mijn auto geschopt?'

'Nee,' zei Hannes.

'Ja,' zei Dubbelbil.

'Mooie auto,' zei Donna.

De vrouw keek kwaad. 'Er zit een kras op de lak.'

Donna liep naar de auto en keek naar het portier. 'Ik zie geen kras.'

'Dan heb je een bril nodig,' zei de vrouw.

'Ik wil piloot worden. Als je een bril draagt mag je geen piloot worden. Over een paar jaar laat ik me laseren.'

'Ik weet wie die kras erin geschopt heeft,' zei Dubbelbil. 'Wat krijg ik als ik het zeg?'

'Wat bedoel je? Wil je geld?'

'Tien euro. Ik geef de helft aan een goed doel.'

'Lekkere jongen ben jij. Laten we 't maar vergeten.'

'Zeker een leasebak, die auto van jou,' zei Dubbelbil.

De vrouw lachte en liep verder, terwijl ze het gesprek aan de telefoon voortzette.

'Waar is je bal?' vroeg Dubbelbil aan Hannes.

Hannes had altijd een bal bij zich, zolang ze elkaar kenden. 'Afgepakt.' Hij keek somber.

'Wil je erover praten?' vroeg Donna.

'Nee.'

Hannes kende Dubbelbil en Donna al zolang hij op school zat. Ze zaten nu in groep acht.

Dubbelbil heette officieel Bill, of Billie. In groep één was hij al zo dik dat hij twee stoeltjes nodig had om op te zitten, daarom noemden ze hem Dubbelbil.

Hannes wilde voetballer worden. Zolang hij zich kon herinneren.

Maar de laatste tijd was hij gaan twijfelen. Hij was bijna twaalf en hij zat nog steeds niet op voetbal. De meeste voetballers in zijn klas zaten al jaren op een club. Als je niet op een club zat kon je geen wedstrijden spelen en als je geen wedstrijden kon spelen kon je niet laten zien hoe goed je was. Simpel.

Zijn vader en moeder waren geen voetballiefhebbers. Ze vonden het best dat hij ging voetballen, maar ze deden niets om hem daarbij te helpen. Toen hij een jaar of acht was, was hij naar een training gegaan van Vogido. Een klein clubje dat het dichtst in de buurt speelde. Voor Ons Genoegen Is Dit Opgericht.

Hij was naar de trainer gestapt en vroeg of hij mee mocht doen. Dat was geen probleem. Hij had een paar voetbalschoenen geleend van een neefje. Ze waren veel te groot en zo stug als een ouwe zeem. Met veel kranten in de neus bleven ze zitten, maar het was geen gezicht.

De meeste jongens waren een kop groter dan hij. Dat was overal zo, ook in de klas was iedereen groter. Hij was nogal klein voor zijn leeftijd. Over het algemeen had hij daar geen last van. Hij was niet op zijn mond gevallen en als iemand het toch waagde om iets vervelends te zeggen was Dubbelbil er nog.

Maar de jongens op de training van Vogido waren niet onder de indruk. Ze bleven hem uitlachen en van de zenuwen deed hij alles verkeerd. Ook al omdat hij met die clownsschoenen geen bal lekker kon raken.

Na die training nam hij zich voor om eerst een stuk groter te worden en zich dan aan te melden bij de jeugd van Sportclub. Sportclub was het hoogste doel van alle jongens in de stad die voetballer wilden worden. Sportclub speelde in de eredivisie en als je bij de jeugd van Sportclub zat, maakte je kans om ooit betaald voetbal te spelen.

Ondertussen oefende hij op straat en op het pleintje bij de kerk.

Alleen of met Dubbel en Donna. Dubbel stond voor de grote kerkdeuren en hield de bal tegen zonder zijn handen uit te steken.

Donna gaf blinde voorzetten, omdat ze weigerde een bril op te zetten.

Het pleintje was veel te klein. De bal rolde telkens op straat of bleef onder geparkeerde auto's steken. Er was wel een klein parkje in de buurt, maar dat was een soort hondentoilet.

De afgelopen jaren was Hannes wel gegroeid, maar erg groot was hij nog niet. Het was niet makkelijk om in zijn droom te blijven geloven. Zeker nu zijn bal was afgepakt.

Het was een bal waar hij aan gehecht was, zijn eerste echte bal. Hij had hem bijna een jaar. Daarvoor had hij tennisballen gehad, plastic ballen en rubberballen, maar nooit een echte bal die je moest oppompen, een zilveren Derbystar. Hij had er bijna drie jaar om gezeurd, voordat zijn ouders hem de bal op zijn 11e verjaardag hadden gegeven. Hij was geschikt voor pleintjes en kunstgras.

Maar niet voor glas-in-loodramen.

Gisteren had hij met de bal op het pleintje bij de kerk gespeeld. Tot voor kort ging er nooit iemand naar de kerk, je kon keihard tegen de muren schieten en de meeste ramen waren stukgegooid.

Sinds een week was de kerk weer in gebruik genomen. Dat wil zeggen, hij werd verbouwd. Er hing een bord waarop stond dat er kantoor- en atelierruimte werd gerealiseerd in units vanaf 100 vierkante meter. Hannes wist niet precies wat units waren, maar wel dat het afgelopen was met voetballen op het pleintje. Hij had op het bord gemikt en toen was de bal tegen een van de kapotte ramen gevlogen, waardoor er een stuk glas naar beneden was gekomen. Een bouwvakker, met een gele helm op zijn hoofd, kwam woedend naar buiten en had zijn bal afgepakt omdat hij bijna het glas op zijn kop gekregen had. In de kerk.

Het was vet oneerlijk. Ten eerste was dat glas allang kapot en ten tweede had die man een helm op. Maar de bouwvakker wilde niet naar hem luisteren en hij sprak een taal die Hannes niet kende.

De moeder van Hannes had geen zin om hem te helpen de bal terug te krijgen, ze had hem vaak genoeg gewaarschuwd, zei ze. En zijn vader had geen tijd. Zijn vader had nooit tijd. Hij was accountant en moest 's morgens om zes uur de deur uit, vóór de file. Als hij thuis kwam en gegeten had ging hij weer achter zijn computer zitten om verder te werken. Het leek Hannes een vreselijke baan. Hij kende niemand die accountant wilde worden.

Je moest de hele dag rekenen en de belastingformulieren van andere mensen invullen. Als hij ergens een hekel aan had was het aan rekenen.

De Voordeelmarkt, waar Dubbelbil elke dag zijn voorraad chips kocht, zat op de hoek van de straat. Dubbel kocht meestal vijf zakken in verschillende soorten en gaf Hannes en Donna één zak paprikachips om te delen. Donna hield niet van paprika en Hannes hield niet van chips. Daarom at Dubbel alle chips zelf maar op.

'Van wie krijg je dat geld?' had Hannes hem wel eens gevraagd.

'Van oma Eefje, voor mijn balletles. Oma Eefje wil dat ik balletdanser word.'

'Jij gaat nooit naar ballet,' zei Donna.

'Natuurlijk niet, als ik naar ballet ga, ben ik dat geld kwijt.'

Terwijl Dubbelbil de supermarkt inging, zag Hannes op het raam een bord waarop stond: *EET PATOTA-CHIPS EN WIN EEN BAL.*

Hij rende de supermarkt in terwijl Donna de zin probeerde te ontcijferen.

'Hoeveel patota-chips moet ik eten om een bal te winnen?' vroeg Hannes aan een kassajuffrouw, die zat te wachten op een volgende klant. Ze kauwde op haar kauwgom en keek op haar horloge. Ze deed alsof ze Hannes niet zag.

'Hoeveel chips moet ik eten...' vroeg hij nog een keer.

De kassajuffrouw begon haar nagels te vijlen en blies een ballonnetje. Er kwam een oude man bij de kassa met vier flessen bier.

'Heb je ook kauwgom in je óren?' Hannes werd pissig. Hij kon het absoluut niet hebben als mensen hem niet zagen staan, omdat ze dachten dat hij jonger was dan hij er toevallig uit zag.

God, wat had hij daar een hekel aan.

'Wat heeft ze in haar oren?' vroeg de oude man.

'Hou je mond, man. Bemoei je er even niet mee,' zei Hannes boos.

'Sorry, ik wist niet dat het zo gevoelig lag. Maar als je me de kwestie uitlegt kan ik misschien een goed woordje voor je doen bij deze jonge vrouw. Je weet hoe vrouwen zijn.'

Dat wist Hannes niet, de enige vrouw die hij goed kende was zijn moeder. En van zijn moeder begreep hij niet veel.

'Als je maar betaalt opa,' zei de kassajuffrouw. Ze keek alsof het haar allemaal niks aanging.

Dubbelbil stond achter de oude man te wachten.

'Hallo Billie,' zei de kassajuffrouw vriendelijk.

'Hallo Sjantal.'

'Je moet meedoen aan de wedstrijd, Billie, dan kun je een voetbal winnen.'

'Ik wil helemaal geen bal.'

'Maar ik wel!' Hannes kreeg bijna een spontane hersenvliesontsteking. Godallemachtig, wat was die bolle toch een rund. Dat kreeg je ervan als je de hele dag alleen aan grazen dacht.

'O ja,' zei Dubbelbil nadenkend, 'Hannes heeft geen bal meer.'

'Is dat je vriendje, Billie?' Sjantal aaide Hannes over zijn krullen. 'Wat een leuk kereltje.'

Hannes liep naar buiten, voordat hij een dubbele moord beging.

Donna stond nog steeds naar het bord met de grote letters te kijken.

'Er staat: *EET PATOTA-CHIPS EN WIN EEN... B...BA...BAL.*' Ze keek blij, stak haar armen uit en rende hard op en neer. Riemen vast, schreeuwde ze, we gaan zo opstijgen.

Grow up, dacht Hannes. Hou toch 'ns op met dat kinderachtige gedoe. En zet een bril op je gezicht.

Dubbelbil kwam naar buiten met een formulier.

'Je moet lege zakken opsturen en een rijmpje maken, dan krijg je een bal.' Hij gaf Hannes het wedstrijdformulier.

Hannes dacht na. Lege zakken chips, dat was geen probleem, maar een rijmpje? Hij kende niemand die goed kon rijmen.

Het vliegtuig van Donna was aan de landing begonnen. 'Baan vrij,' schreeuwde ze. Hannes en Dubbelbil gingen opzij, maar de oude man die net naar buiten kwam, zag het vliegtuig niet aankomen. De piloot probeerde nog te remmen, maar haar linkervleugel raakte één van de flessen bier. De fles vloog met een grote boog door de lucht. Iedereen keek met ingehouden adem hoe de fles te pletter ging vallen op de stoep. Merkwaardig genoeg gebeurde dat niet. De fles landde met zijn kont precies in een tamelijk verse hondedrol.

'Nooit schudden met bier,' zei Dubbelbil.

'Heeft iemand hier wc-papier, voor de kont van m'n fles bier?' vroeg de oude man.

'Dat rijmt,' zei Hannes, 'bent u toevallig een rijmer?'

'Rijmen is lichter, voor U staat een dichter,' sprak de oude man deftig.

'Schrijft u echte gedichten?' vroeg Donna.

'Alleen als er iemand doodgegaan is. Dan drink ik vier flessen bier en schrijf een gedicht.'

'Wie is er doodgegaan?' wilde Dubbel weten.

'Mijn hond. Hij is gisteren doodgegaan. Hij was al erg oud.'

'Net zo oud als jij?'

'In hondenjaren was hij net zo oud. Hij heeft gelukkig geen pijn geleden.'

'Misschien was dat de laatste drol van jouw hond.'
Dubbel wees naar de scheefgezakte fles in de poep.

'Beslist niet, dat is poep van een jonge hond, waarschijnlijk uit een verwend nest. Mag ik dat papier van jou gebruiken, jonge vriend?' Hij keek vragend naar Hannes.

'Dit is geen wc-papier, er moet een rijmpje op, zodat ik een bal kan winnen. Het is niet behoorlijk om daar poep aan te smeren.'

'Wil je voetballer worden?'

Hannes knikte.

'Ik ga vanmiddag de hond begraven. Willen jullie komen kijken? Dat is leuk voor de hond, hij hield erg van kinderen en van voetballen.'

'Hoe heette uw hond?' vroeg Hannes.

'De hond heette Abe. Dat was vroeger een beroemde voetballer.'

'Die ken ik niet,' zei Hannes, 'maar ik wil wel komen kijken.'

'Ik niet,' zei Dubbelbil, 'ik hou niet van honden. En helemaal niet van dooie hond.'

'Toen mijn oma dood was moest ik huilen,' zei Donna. 'Ik ga ook niet kijken.'

'Jij ziet toch niks,' zei Dubbelbil.

'Ik moet een rijmpje maken om een bal te winnen,' zei Hannes.

'Mijn bal is afgepakt door een bouwvakker in de kerk.'

'De kerk is de oorzaak van veel problemen. Maar als je vanmiddag komt, maak ik een rijmpje. Hoe heet je?'

'Hannes.'

'Ik heet Jan, maar Abe noemde me Coach, omdat ik trainer was. Jij mag Coach zeggen.'

'Belachelijk,' vond Dubbelbil. 'Honden kunnen niet praten. Blaffen en poepen, dat kunnen ze.'

'Heb jij een zakdoek,' vroeg Coach aan Dubbelbil.

Dubbel haalde een schone zakdoek uit zijn broek.

Coach pakte de fles uit de poep en veegde hem schoon met de zakdoek van Dubbelbil.

2. Voorzet

Coach woonde in een piepklein huis naast het oude voetbalstadion. Het huis was tegen de tribune aangebouwd, vanuit de kamer kon je zo op het veld kijken.

In de kamer was het een grote rotzooi, overal stonden lege flessen en asbakken met peuken. Het waren geen echte asbakken, maar lege blikken waar hondenbrokken in hadden gezeten. Het huis rook naar hond en sigaretten.

'Ik ben nog nooit in het stadion geweest,' zei Hannes tegen Coach.

'In het nieuwe stadion?'

'In het nieuwe niet en in het oude niet.'

'Ze gaan dit oude stadion afbreken. Er worden kantoren gebouwd.'

Hannes knikte. 'Hebt u een rijmpje gemaakt?'

Coach pakte een papier en las voor: *'Wie chips eet om een prijs te winnen heeft de hoofdprijs al naar binnen.'*

'Mooi,' vond Hannes. Dubbelbil had hem zijn lege zakken gegeven. Hij had bijna weer een bal.

'We moeten de hond begraven,' zei Coach, 'anders gaat hij stinken.'

De hond lag in een kruiwagen, Hannes had hem al geroken. Abe leek niet erg op een hond. Wat je zag was een hoop zwarte haren in de kruiwagen.

'Abe wil achter het doel begraven worden, daar lag hij altijd te kijken naar de wedstrijd. Als hij er niet lag, verloren we.'

'Wilt u ook achter het doel begraven worden?' vroeg Hannes.

'Je mag jij zeggen. Ik wil verbrand worden, mijn as moet over het veld worden gestrooid. Als ik dood ben.'

'Dan moet je snel dood gaan,' zei Hannes, 'anders staan er kantoren.'

Coach reed de kruiwagen over het veld naar het doel. Hannes liep achter hem aan. Het gras was kort gemaaid en er stonden strakke witte lijnen op. Het gras rook naar gras, niet naar hondenpoep, zoals in het parkje.

'Abe hield van kort gemaaid gras en van strakke witte lijnen. Hij kon mooi langs de lijn lopen,' zei Coach.

Dit is de eerste keer dat ik op het veld loop in een echt stadion, dacht Hannes. Het leek hem supercool om hier te kunnen spelen, vooral als de tribunes vol zaten met toeschouwers. Wat was er mooier dan een juichende massa na een doelpunt dat hij gemaakt had? Iedereen riep jouw naam, je hoefde niets meer te doen om aardig gevonden te worden. Geen goeie cijfers meer halen, niet op je kleren letten, je bord niet leegeten. Als je een doelpunt maakte hield iedereen van je.

Achter het doel was een kuil gegraven. Coach kiepte de

kruiwagen leeg in de kuil. Daarna gooide hij zand over de hond.

'Abe hield niet van lange verhalen. Hij hield van korte opdrachten. Zit. Zoek. Lig. Bal. Af.'

'Dood.' Hannes hield ook niet van lange verhalen.

'Ik zal je de kleedkamer laten zien,' zei Coach. Hij wreef in zijn ogen en liep met grote stappen over het veld. Op het veld leek hij jonger dan de oude man in de supermarkt. Hannes moest rennen om hem bij te houden.

'Hoe groot moet je ongeveer zijn als je voetballer wilt worden?'

'Dat maakt niet uit,' zei Coach. 'Ik heb grote voetballers gekend die klein waren en kleine voetballers die groot waren.'

In de kleedkamer stonk het naar de wasmand in de badkamer. Coach ging in een hoek van de kleedkamer zitten en draaide een sigaret. 'Grote voetballers zijn rokers.'

Ik kan beter een kleine voetballer worden, dacht Hannes. Hij vond sigaretten smerig.

'Toen ik voetballer was zat ik altijd op deze plek. Naast Karel, de keeper.'

'Ben jij voetballer geweest?' Hannes kon moeilijk geloven dat de oude man in een korte broek over het veld rende.

'Heel lang geleden was ik verdediger. Ik voetbalde bij Sportclub, hier in het oude stadion.'

'Kwamen er veel mensen naar jullie kijken?'

'Het stadion zat vol. Elke wedstrijd. Als je wilt, laat ik je foto's zien uit die tijd.'

Hannes knikte. 'Ik hoop dat de chipsfabriek de bal snel opstuurt.'

Coach haalde zijn schouders op. 'Reken er niet op. Als je nergens op rekent, kun je niet verliezen.'

Dat was typisch zo'n uitspraak waar je niks aan had. Als je nergens aan meedeed, kon je ook niet verliezen. Je moest het andersom zeggen. Als je niet meedeed, kon je niet winnen. Hannes werd een beetje treurig van Coach in die stinkende kleedkamer, met zijn vieze sigaret. Hij wilde weg. Hij stond op en liep de kleedkamer uit.

'Wacht even,' riep Coach. 'Ik heb een idee. Als je woensdagmiddag komt, zal ik het vertellen.'

'Dan kan ik niet, ik heb woensdagmiddag pianoles.'

'Wil je pianist worden?' vroeg Coach.

Natuurlijk wilde hij geen pianist worden. Hij had pianoles omdat zijn moeder het belangrijk vond dat hij een instrument speelde.

Daar zou hij later veel plezier van hebben, zei ze.

Zelf had zijn moeder ook pianoles gehad, maar ze speelde nooit.

Het was woensdagmiddag.

Hannes en Donna waren zoals gewoonlijk in de oude perenboom geklommen, achter in de tuin van Donna. Hannes hield van klimmen. Misschien omdat hij zich dan groter voelde dan hij was. Dubbelbil stond beneden, hij klom uit principe niet in bomen. Hij vond het onnatuurlijk. En bovendien had hij zijn figuur tegen.

'Heb je al een bal gekregen?'

'Nee,' riep Hannes naar beneden. 'Zo snel gaat dat niet.'

'Die oude man kon zeker geen rijmpje maken?'

'Hij heet Coach en hij is zelf voetballer geweest. Ik ga zo naar hem toe. Hij woont in het oude stadion.'

'Het oude stadion wordt volgende week afgebroken. Mijn vader gaat er een kantoor bouwen.' De vader van Dubbel was projectontwikkelaar, hij bouwde de hele stad vol kantoren. Overal zag je grote borden staan met de achternaam van Dubbelbil.

'Volgende week? Dat kan niet. Ik denk niet dat Coach dan al dood is.'

'Hij hoeft niet dood, hij kan toch ergens anders gaan wonen?'

'Jouw vader kan toch ergens anders een kantoor bouwen,' vond Hannes.

'Het wordt enorm kantoor, een soort wolkenkrabber. Ik heb het gezien, op een tekening.'

'Het kan niet.' Hannes voelde dat hij kwaad werd.

'Het is heel gevaarlijk voor vliegtuigen, zo'n wolkenkrabber.'

Dat was weer echt een opmerking van Donna, je kon het met haar nergens anders over hebben dan over die stomme vliegtuigen.

'Shit!' Hannes herinnerde zich opeens dat hij nog geen goeie smoes had om zijn pianoles af te zeggen. 'Ik heb pianoles.'

'En ik heb ballet,' lachte Dubbelbil.

'Je moet zeggen dat je niet kunt,' zei Donna tegen Hannes, 'je vliegtuig heeft vertraging of zoiets.'

'Ik kán wel. Ik wíl niet, dat is iets anders.'

'Ik kan even op je handen gaan zitten,' zei Dubbelbil, 'dan kun je een week lang geen piano spelen.'

'Het gaat alleen om vanmiddag.' Je moest niet overdrijven bij een goeie smoes.

'Ik ben een keer neergestort,' zei Donna, 'in de brandnetels. Ik kon een hele dag mijn vleugels niet gebruiken. Achter in de tuin staan brandnetels.'

Hannes klom uit de boom en stak zijn handen in de brandnetels.

Donna en Dubbel keken belangstellend toe.

'Aaaaaaaaauw, godsgloeiende tering.' De tranen sprongen in zijn ogen. Volgende keer moest hij iets anders bedenken.

'Ik had beter even op je handen kunnen gaan zitten.' Dubbelbil keek hoofdschuddend toe, terwijl Hannes als een indiaan op oorlogspad door de tuin danste.

De moeder van Donna kwam uit huis gerend met de telefoon in haar hand. 'Willen jullie niet zo schreeuwen, zo kan ik niet telefoneren.'

'Hannes is in de brandnetels gestort,' zei Donna.

De handen van Hannes leken opgeblazen keukenhandschoenen.

'Dat ziet er niet best uit, daar moeten we azijn op doen.'

'Je moet er op piesen,' zei Dubbelbil. 'Azijn is voor de sla.'

De moeder van Donna trok een vies gezicht.

Coach zat achterovergezakt op een stoel voor zijn huis. Zijn kin lag op zijn borst. Hij had de klep van zijn pet over zijn ogen getrokken.

'Hallo,' zei Hannes.

Coach gaf geen antwoord. Hannes tikte hem voorzichtig op zijn schouder. Zijn handen waren nog rood van de brandnetels.

'Hallo Coach.' De oude man bewoog niet.

'Hij is dood. Net als zijn hond.' Dubbelbil gaf Coach een duw, waardoor hij van zijn stoel viel.

'Penalty scheids!' riep Coach opeens. 'Die bolle papzak heeft me van achteren getackeld.' Hij deed zijn ogen open. 'Ik droomde dat ik op doel ging schieten. Precies op dat moment werd ik door een dikke stopperspil vanachter neergehaald.'

'Nam jij vroeger de strafschoppen?' wilde Hannes weten.

'Absoluut. Ik was specialist. Ik had een mooie harde wreeftrap, ik zal het je laten zien.' Coach vroeg aan Dubbel of hij wilde bukken. Dubbel boog zich gehoorzaam voorover, waarop Coach een korte aanloop nam en hem hard tegen zijn kont trapte. 'Stijf in het kruis.'

Hannes vond dat Coach een mooie traptechniek had. Als de kont van Dubbel een bal was geweest, lag hij nu achter de keeper in het net.

Er kwam Jeep Cherokee aangereden met te grote banden en veel koplampen. Hij stopte voor het huis van Coach. Er stapten twee mannen uit, een kleine dikke en een lange dunne.

'Je vader,' zei Donna tegen Dubbel die nog over zijn kont wreef.

'Wat doe jij hier?' vroeg de lange dunne, toen hij Dubbelbil zag.

'Hij heeft een strafschop gekregen,' legde Hannes uit.

'Vroeg ik jou wat, snotneus? En moest jij niet naar ballet, vanmiddag?' Hij keek kwaad naar zijn zoon.

De kleine dikke begon te lachen. 'Sorry. Ik wist niet dat jouw Billie op ballet zat.'

'Er is vandaag geen les,' jokte Dubbel. 'En Hannes moest naar het stadion.'

'Wat komen de heren doen?' vroeg Coach vriendelijk.

'We komen even kijken en wat opmeten. Vanwege de sloop, volgende week. Als iemand de poort open doet kunnen we met de auto naar binnen.'

'Met de auto? Ik heb juist het veld gemaaid,' zei Coach.

De vader van Dubbelbil keek hem verbaasd aan. 'Gaan we leuk doen, opa? Dat veld wordt volgende week omgeploegd en het stadion wordt gesloopt. We maken hier voorlopig een parkeerterrein, totdat we kantoren kunnen bouwen.'

'Ik woon hier. De gemeente heeft gezegd dat er pas over een half jaar begonnen mag worden met slopen en bouwen.'

De vader van Dubbelbil schudde zijn hoofd en de kleine dikke haalde een brief uit zijn zak.

'Hierbij delen wij u mee,' las Coach hardop, 'dat het stadion en de daarbij behorende woning gesloopt mogen worden. Voordat u gaat slopen moet u er voor zorgen dat de beheerder van het stadion, de heet J.Beck, een vervangende woning krijgt. Met vriendelijke groet, de burgemeester en wethouders.'

'Ben jij de heer J. Beck, opa?' vroeg de vader van Dubbelbil.

'Hij heet Coach,' zei Dubbelbil, 'en het is je opa niet.'

'Ik ben Jan Beck. Er wordt hier niks omgeploegd en gesloopt, doorgekookte sperzieboon, want ik heb nog geen andere woning.'

'Doorgekookte sperzieboon,' lachte de kleine dikke. 'Die moet ik onthouden, Anton.'

Anton keek hem boos aan. 'Ik heb goed nieuws voor je,' zei hij tegen Coach. 'We hebben een prachtige flat voor je.'

'In het ouwe coachhuis,' lachte de kleine dikke.

'Over mijn lijk. Mij krijg je niet in een bejaardenflat.'

'Je weet niet wat je zegt, man. Het is hardstikke mooi, mijn eigen schoonmoeder woont er. Die heeft nog nooit zo knap gewoond.'

'Oma Eefje?' vroeg Dubbelbil.

Zijn vader knikte. 'Wat denk je ervan Coach? Kunnen we aan het werk?'

'Nee,' zei Coach. 'Ik ga met de burgemeester praten.'

'Goed idee,' zei de kleine dikke, 'zal ze leuk vinden.'

'Dus je laat ons niet binnen?' De vader van Dubbelbil stak zijn hand in zijn zak en haalde er een pakje sigaretten uit.

'Nee.'

'Dan moet je 't zelf weten opa,' zei de kleine dikke. 'Als jij niet in een knap flatje wilt wonen en we breken jouw huisje af, moet je in het park slapen, onder een ouwe krant.'

'Dan word je een echte zwerver,' zei Dubbelbil.

'En als ik jou hier nog één keer zie, dan... dan ga je een week lang zonder eten naar bed.'

'En jij mag niet roken van mama.'

Zijn vader gaf geen antwoord. Hij stapte met de kleine dikke in de auto en scheurde weg.

'Hij rijdt wel tweehonderd,' zei Dubbelbil tegen Donna.

Hannes was er niet vrolijk van geworden. Hij was hier gekomen omdat Coach een idee had. Daar kwam natuurlijk niks meer van terecht. Zoals altijd als volwassenen iets beloofden. Ze vergaten wat ze beloofd hadden. Of ze wisten het nog wel, maar ze hadden nu even geen tijd. Als ze het niet vergaten en ze hadden wel tijd, viel het vaak tegen. Zijn opa had beloofd om hem een keer mee te nemen naar een voetbalwedstrijd. 'Een echte wedstrijd?' had hij nog gevraagd. Bleek het een of ander stom wedstrijdje te zijn tussen de mensen van het kantoor waar opa vroeger werkte en een stel andere sukkels. Wat een rukpot. En dan moest hij ook nog beleefd blijven en zeggen dat hij het leuk vond.

'Aardige vrienden heb je,' zei Coach tegen Hannes.

'Gaat wel. Ga je nu vertellen wat je idee is?'

'Tja. Het was een goed idee, maar ik heb opeens een beter idee. Als je morgen tijd hebt, gaan we samen naar de burgemeester.'

Zie je wel, dacht Hannes.

3. Stoppen met de zool

De burgemeester keek uit het raam. Het regende en zelf was ze ook een beetje depri. De laatste tijd gebeurde er niks leuks in de stad. De mensen gingen naar hun werk en de kinderen naar school. Daarna kwamen ze weer thuis, keken naar de televisie en gingen naar bed.

Ze deed haar ogen dicht en droomde van een mooie uitslaande brand in het lelijke winkelcentrum. Over tien minuten had ze weer een vergadering, over de aanpak van de jeugdcriminelen. Met de hoofdcommissaris. De hoofdcommissaris wilde streng optreden en zeurde altijd om meer agenten. Ze werd moe van die man. Hij zou zelf op straat moeten gaan lopen, in plaats van de hele dag vergaderen. Maar dat kon ze natuurlijk niet zeggen.

Er werd op de deur geklopt.

Een oudere man kwam binnen en daar achteraan een klein ventje met een bos krullen.

'Dag mevrouw,' zei de man.

Hij zag er nogal onverzorgd uit en hij rook niet prettig, vond ze.

'Dag, eh, heren.'

'Bent u de burgemeester,' vroeg het ventje met de krullen.

'Jazeker. Je had natuurlijk een man verwacht. Heb ik gelijk of niet? En wie ben jij?'

'Ik heet Hannes van Dam. Ik had geen man verwacht, maar u ziet er in het echt veel jonger uit dan op de foto's in de krant.'

'Zo. Dat is pas een compliment.'

'Er stond in de krant dat uw deur altijd open staat,' zei de oudere man.

'De deur was dicht,' zei Hannes.

'Bij wijze van spreken. Ik sta open voor alle inwoners van deze stad. Hadden wij een afspraak?'

'Niet dat ik weet,' zei Coach. 'Het zit namelijk zo: ik ben Jan Beck en ik ben de beheerder van het oude stadion. Ik woon in het beheerdershuis. Nu had ik het idee om Hannes en andere jongens uit de buurt in het stadion te laten voetballen, tot...'

'Maar de vader van Dubbelbil wil zijn huis afbreken en het veld omploegen,' zei Hannes. 'Hij mag er van u parkeerplaatsen maken.'

De burgemeester begreep er niks van. 'Leg het probleem eens rustig uit, ik begrijp er geen bal van.'

'Het probleem is dat Hannes niet kan oefenen. Als je voetballer wilt worden, moet je elke dag oefenen,' legde Coach uit.

'Dan moet je op voetbal gaan. Mijn zoon wil hockeyer worden. Daarom zit hij op hockey.'

'Wie wil er nou op hockey?' vroeg Coach. Hij schudde zijn hoofd.

'Tja. Daar hebt u gelijk in. Zelf vond ik het ook niet leuk, met die rare rokjes. Maar we hebben in de stad prachtige voetbalvelden, daar kan Hansje toch voetballen?'

'Hannes,' zei Hannes.

'De voetbalvelden liggen ver buiten de stad,' zei Coach. 'De kinderen moeten door hun ouders gebracht worden. En ze zijn zo prachtig omdat je er maar een paar keer in de week mag spelen. Hebt u uw zoon ooit in het park zien hockeyen?'

'Kan ik me niet herinneren. En ik kom regelmatig in het park om de hond uit te laten.'

'Dat bedoel ik,' zei Coach. 'Het park is volgekakt. Hebt u weleens een drol tussen de noppen van een voetbalschoen gepeuterd?'

'Ik heb altijd een poepschepje bij me en een plastic zakje.' De burgemeester trok haar neus op.

'Je moet vragen of het mag,' zei Hannes, die zijn geduld begon te verliezen.

'Wat ik dus vragen wil, is of de jongens uit de buurt in het oude stadion kunnen spelen. Totdat er kantoren gebouwd gaan worden.'

De burgemeester schudde haar hoofd. 'Het stadion gaat volgende week tegen de grond. Er komt een parkeerterrein, voorlopig. Daar is voor gekozen door de gemeente.'

'Maar Abe ligt in het stadion begraven,' zei Hannes. 'En Coach wil over het veld gestrooid worden, als-ie dood is.'

'Als ik u zo zie, kan dat nog een tijdje duren. Het spijt me, ik kan niets voor u doen. Ik heb mijn handtekening gezet. Ik kan niet opeens zeggen dat het niet doorgaat.' Ze liep naar het raam en keek naar buiten.

Op een hekje voor het stadhuis zat een dikke jongen chips te eten. Vreselijk, dacht de burgemeester. De jeugd moet beweging hebben. Ze draaide zich om en zag niet meer hoe een spichtig meisje met gespreide armen de hoek om kwam rennen.

'Goed,' zei ze opeens. 'Ik vind het goed. Laten ze maar ergens anders parkeren. Jullie mogen nog een half jaar in het oude stadion voetballen. Ik zal zeggen dat er een fout is gemaakt, door de wethouder.' Ze lachte in zichzelf. Ze had een gloeiende hekel aan de wethouder.

4. Stoppen met de wreef

Nadat ze had gezegd dat Hannes zijn schoenen moest uittrekken en zijn handen moest wassen, vroeg zijn moeder waar hij was geweest.

'Bij de burgemeester. Ik ben met Coach bij de burgemeester geweest om te vragen of we in het oude stadion mogen voetballen.'

'Ja, en ik was vanmiddag bij de koningin om te vragen of ik even in de gouden koets mocht rijden. Je had pianoles en daar ben je niet geweest. En nu verzin je ook nog een idioot verhaal. Jij moet maar eens een week thuis blijven om elke dag goed te oefenen. Wat denk je wel, hebben we daarom een nieuwe piano voor je gekocht?'

'Ik wil helemaal geen piano. Jullie wilden een piano, zodat ik thuis kan oefenen. Ik hou niet van piano spelen en hij is geeneens nieuw.'

Het gevolg was dat hij een hele week niet naar buiten mocht. Daarom zaten Donna en Dubbelbil zaterdagmiddag op zijn kamer. Ze kwamen eigenlijk nooit bij Hannes thuis, omdat zijn moeder wilde dat zijn vrienden hun schoenen uittrokken en hun handen wasten met veel zeep, voordat ze verder mochten lopen.

'Ga van pianoles af,' adviseerde Dubbelbil.

'Ja doei. Mijn vader heeft alle lessen betaald en ze hebben een nieuwe piano gekocht.'

'Hij ziet er niet nieuw uit,' vond Donna, 'ik ben er tegenaan gevlogen.'

'Dat was een kast,' zei Dubbelbil, 'je knalde tegen een kast. Je kunt niet eens zien of het een kast is of een piano. Ik zou nooit in jouw vliegtuig gaan zitten.'

'Ik wil helemaal niet dat jij in mijn vliegtuig zit, vette aardappel.'

'Moet je horen wie het zegt, blind paard.'

'Hou op met die flauwekul,' zei Hannes. 'Ik moet bedenken hoe we naar het stadion kunnen.'

'We springen uit het raam, zo hoog is het niet,' zei Donna.

'Voor jou misschien, ik moet op mijn dure balletbenen letten,' zei Dubbel. 'Waarom moeten we trouwens alledrie gaan? Alleen Hannes wil voetballer worden. Weet je wat, wij blijven gewoon hier, dan denkt de moeder van Hannes dat hij er ook nog is. Ondertussen gaat Hannes naar het stadion. We laten je zakken aan twee lakens.'

'En hoe kom ik weer binnen?'

'Aanbellen. Je zegt dat je uit het raam gevallen bent, je huilt een beetje en dan is je moeder heel blij dat je nog leeft.'

Dubbelbil bond twee lakens stevig aan elkaar en even later hing Hannes op nog geen meter van de grond.

'Voetbal,' zei Coach, 'is een eenvoudig spelletje.' Hij had zijn huis nog niet opgeruimd. Hannes zat in een kraakstoel. 'Je moet meer doelpunten maken dan de tegenstander. Als je er minder maakt verlies je en als je evenveel doelpunten maakt, speel je gelijk.' Coach stak zijn sigaret aan. Hij legde de lucifer op tafel.

'Om doelpunten te maken moet je de bal in het doel van de tegenpartij schieten, je moet naar voren, je moet aanvallen.'

'Waarom was jij dan verdediger?'

'Omdat ik weinig fantasie heb. Een verdediger moet niet teveel gekke dingen willen met de bal, dat gaat mis. Hij moet zorgen dat de tegenpartij geen doelpunten maakt. Bedenk jij weleens gekke dingen?'

Hannes dacht na. Hij had ooit gefantaseerd over een spookelftal. 'We moesten tegen de kopspoken, ze konden alleen koppen, omdat ze fladderbenen hadden. Met die benen wipten ze de bal op en dan kopten ze de bal naar elkaar, zonder dat wij erbij konden. Als ze de bal hadden, kon je ze niet tegenhouden.'

Coach knikte. 'Les één: zorg dat je de bal hebt. Als de tegenpartij de bal niet heeft, kan hij ook niet scoren.'

'En we moesten de bal laag houden.'

'Als het waait, moet je de bal laag houden,' zei Coach.

Hannes schudde zijn hoofd. Hij had het niet moeten vertellen. Het waaide niet, het was een spookelftal.

Coach trok aan zijn sigaret en blies mooie rookkringetjes in de lucht. Het leek of hij aan iets heel anders dacht, zoals oude mensen wel vaker doen. Ze dachten aan iets wat ze vroeger hadden gezien of gehoord en dat wilden ze met alle geweld vertellen. Soms was het iets dat hij leuk vond om te horen, meestal was het stomvervelende onzin.

Hannes wachtte ongeduldig tot Coach terug was gekomen in de tijd. Hij had haast. Oude mensen leken nooit haast te hebben, terwijl ze altijd zeurden dat de tijd zo snel ging. Bij hem ging de tijd juist langzaam, vooral als hij op school zat.

'We moeten een elftal hebben,' zei Coach opeens. 'Een

echt elftal. Ken jij toevallig een stel goeie voetballers hier in de buurt?'

Hannes kende Dubbelbil en Donna, dat waren niet bepaald goeie voetballers. Op school zaten natuurlijk wel jongens die konden voetballen, maar die woonden niet in de buurt.

'O, ja. Ik heb nog een probleem. Ik mag voorlopig niet op straat spelen omdat ik de vorige keer niet naar pianoles ben gegaan.'

'We spelen niet op straat, we spelen in het stadion. Dat is dus geen probleem, lijkt me.'

Hannes dacht dat het wel een probleem was, maar het leek hem beter om daar voorlopig niets over te zeggen, Het was al lastig genoeg om een elftal bij elkaar te krijgen.

5. Stoppen met de borst

Hij zat op de wc. Hij hoefde niet echt, maar hij kon het best denken als hij op de wc zat. Hij keek naar de verjaardagskalender. Het duurde bijna drie maanden voor hij jarig was.

'Zit jij op de wc?' riep zijn moeder.

Wie zou er nog meer op de wc kunnen zitten? Zijn vader was op zijn werk, het was woensdagmiddag.

'Je moet piano spelen.'

Hij trok door en deed de deur open.

'Heel goed je handen wassen,' riep zijn moeder.

Hij waste zijn handen en ging achter de piano zitten.

De zwarte en witte toetsen deden hem denken aan het shirt van een Italiaanse club die hij laatst op de tv gezien had. Juventus uit Turijn.

Het was mooi als hun elftal ook in zwart-wit gestreepte shirts kon spelen. Hij pingelde een paar oefeningen uit zijn pianoboek en keek naar buiten. Misschien kon Dubbelbil op doel staan, dacht hij. Dubbel kon niet hard lopen, maar hij kon goed vangen. En hij was twee keer zo breed als andere jongens.

Donna kon jammer genoeg niet mee doen. Ze kon niet voetballen omdat ze geen bal zag. Het enige dat ze goed kon was hardlopen en hoogspringen.

Zelf moest hij natuurlijk in de spits, als midvoor. Hoewel? Hij was klein en een midvoor moest vaak koppen. Misschien was het slimmer als hij op het middenveld ging lopen. Als middenvelder mocht je naar voren en naar achteren. Je moest feitelijk het hele veld over en je hoefde niet te wachten tot de bal een keer in jouw buurt kwam. Hij kende een jongen die op een andere school zat, Quincy, een hele grote knaap. Hij kon Quincy vragen of hij midvoor wilde worden.

'Ik hoor niets,' riep zijn moeder. 'Waarom speel je niet verder?'

Hij speelde een paar keer Zomertijd, een stuk dat hij bijna uit zijn hoofd kende. Daarna ging hij naar het kantoor van zijn vader en zette de computer aan. Op MSN kon hij met Dubbelbil praten. Dubbelbil was bijna altijd online; hij had een eigen computer op zijn kamer.

Donna had ook een computer. Die stond gewoon in de huiskamer.

Omdat haar vader nooit thuis was en haar moeder altijd aan de telefoon zat, kon ze zo lang als ze wilde achter de computer zitten, of voor de tv, waar ze Playstation speelde. Thuis zette ze haar bril op. Hannes vroeg aan Dubbel en Donna of ze Quincy kenden.

'Die lange zwarte?' schreef Dubbelbil terug. 'Die ken ik niet.'

'Ik wel,' schreef Donna. 'Ik heb ff met hem gepraat. Hij komt uit Ghana en hij heeft met een DC-8 van MK Airlines gevlogen.'

'Te gek,' zei Dubbelbil. 'Als hij met MK Airlines heeft gevlogen kan hij natuurlijk ook koppen.'

'Lul niet, jongen. Wat heeft dat nou met elkaar te maken? Mag ik trouwens ook meedoen?' vroeg Donna.

'Kennen jullie die kleine Turk van de Montessori? Hij heet Attakus of zoiets en hij loopt altijd in een voetbalshirt.' Hannes wist niet wat hij tegen Donna kon zeggen.

Na een uur riep de moeder van Hannes dat hij een boodschap moest doen. Hij sloot af en ging naar de Voordeelmarkt om twee zakken muntdrop te kopen. Zijn moeder was behoorlijk verslaafd aan muntdrop. Zijn vader vond dat zijn moeder niet zoveel drop moest eten, omdat ze daar zenuwachtig van werd.

Op de terugweg kwam hij twee jongens tegen die hij niet kende. Ze spraken Marokkaans of zoiets met elkaar. Hij had er een hekel aan wanneer hij iemand niet kon verstaan. Toen hij voorbij liep, keken ze hem uitdagend aan. Een van de jongens vroeg of hij een muntdrop mocht. Hannes schudde zijn hoofd.

'Waarom niet,' vroeg de andere jongen.

'Zeker omdat wij uit Marokko zijn,' zei de eerste.

Wat had dat er nou mee te maken, dacht Hannes. 'Ze zijn voor mijn moeder.'

'O ja?' zei de andere Marokkaan. 'Zijn ze voor je mammie? Ik denk dat mammie het niet erg vindt als je ons een droppie geeft.'

Hij ging pesterig voor Hannes staan en hield zijn hand op.

De zakjes zaten dicht, Hannes was niet van plan om ze open te scheuren.

Opeens pakte de jongen die een droppie gevraagd had hem een van de zakjes muntdrop af. Toen Hannes het terug wilde pakken, gooide hij het zakje snel naar de andere jongen die het opving en boven zijn hoofd hield. Hannes draaide zich naar de ander, maar op het moment dat hij het zakje bijna te pakken had, gooide de jongen het weer naar zijn vriend. Die ving het zakje met zijn borst op, liet het op zijn knie vallen en schopte het met zijn wreef terug.

De ander stopte het zakje met de binnenkant van zijn voet, alsof het een bal was, liet het twee keer op zijn hak stuiteren en gaf er toen een enorme trap tegen, waardoor het zakje kapot scheurde en alle muntdroppen over straat vlogen.

'Droplul,' zei Hannes.

'Dat komt ervan. Als je ons gewoon een droppie gegeven had, lagen ze nu niet allemaal over straat. Zonde.'

Hannes beet op zijn lip en begon de dropjes van straat te rapen. De twee jongens bleven lachend staan kijken.

'Mooi schot, vond je niet?' zei de ene Marokkaan.

'Zitten jullie op voetbal?' vroeg Hannes.

'Wij, man? Veels te duur, man. Wij spelen altijd op straat. Met die Suri's. Dat is vet lachen man. Vooral als je die gasten panna speelt.'

'Panna?'

'Poorten man, door de benen spelen, weet je wel.'

'Hebben jullie zin om mee te spelen in een echt elftal,' vroeg Hannes. Het kwam zomaar bij hem op. Die twee waren beslist goeie voetballers.

'Ga je zuster voor gek houden man, wat nou, een echt elftal. Heb jij soms ergens een elftal?'

'Nog niet. Maar ik zoek een stel jongens die kunnen voetballen en die mee willen doen in een buurtelftal. We gaan in het oude stadion spelen. Jullie lijken me echte voetballers.'

'Dat heb je goed gedacht man. Hoe heet jij? Ik heet Bouki en hij heet Driss.'

'Ik heet Hannes, man.'

'Respect Hannesman. Dus jij zoekt een elftal bij elkaar. En waar gaan ze spelen? In het parkje tussen de drollen?'

'Nee, dat zeg ik net, we spelen in het oude stadion.'

'Fokjoe. In het oude stadion? Ga je zuster...'

'Ik heb geen zuster en het is waar. Ga maar mee, dan zal ik het jullie laten zien.'

Hannes liep met de twee jongens naar het stadion, dat twee straten verderop lag. Onderweg vertelde hij over Coach en de burgemeester en over de vader van Dubbelbil.

'Jij loopt te dissen, man,' zei Bouki. Of Driss. Hannes wist niet wie van de twee Bouki was en wie Driss. 'Wat is dissen?'

'Hij weet niet wat dissen is,' zei Driss tegen Bouki. Of andersom.

Coach kalkte de lijnen op het gras. Mooie strakke lijnen. Hij voelde zich alleen, omdat Abe de hond niet meer met hem mee liep. Abe kon zo mooi langs de lijn lopen. En hij was treurig omdat het stadion gesloopt moest worden. Dat kon hij niet tegenhouden. Misschien een tijdje, een half jaar of zo. Maar dan was het afgelopen. Aan alles komt een eind, ook aan een oud stadion waar veel is gebeurd.

Coach herinnerde zich een wedstrijd tussen Sportclub en de kampioen van Duitsland. Er zaten 25.000 mensen op de tribunes. Nee, ze stonden allemaal. Er waren toen helemaal geen zitplaatsen, alleen voor de burgemeester en het bestuur.

Het regende pijpestelen. Coach stond in de verdediging. Het was vijf minuten voor tijd en de stand was nog steeds 0-0. De kampioen van Duitsland wilde winnen en

Sportclub wilde niet verliezen. En toen, vlak voor tijd, kopte Coach de bal uit een hoekschop in het doel. Hij sprong boven iedereen uit, het leek wel of hij even kon zweven. Bam, hoog in het kruis van het doel.

Daarna werd het heel stil in het stadion.

Heb je weleens 25.000 mensen heel stil horen zijn?

Coach had de bal niet in het doel van de Duitsers gekopt, maar in zijn eigen doel. Onhoudbaar. Het was beslist een prachtig doelpunt, daar was iedereen het achteraf over eens. Maar Coach schaamde zich zo dat hij wel onder het gras had willen kruipen, ongeveer op de plek waar Abe nu begraven lag.

Tja.

Hij keek op en zag drie jongens naar hem toe komen. De kleinste was Hannes. Toen ze dichterbij kwamen zag hij dat de andere twee Marokkaanse jongens waren. Het waren jongens die hij weleens op straat tegenkwam. Pestkoppen. Ze noemden hem een ouwe lul en één keer had een van de jongens de pet van zijn hoofd gepakt. Maar hij had ook gezien dat die ettertjes behoorlijk goed konden voetballen.

'Hé Coach. Strakke lijnen ben je aan het maken.'

'Hallo Hannes. Heb je twee vrienden meegenomen?'

'Het zijn geen vrienden, maar ze kunnen wel voetballen, denk ik.'

'Ben jij niet...?' zei Driss.

'...die ouwe lul?' vroeg Bouki.

Ze lachten en namen allebei een slok uit een blikje cola dat ze onderweg gekocht hadden.

'Ik heet Jan Beck. Maar iedereen noemt me Coach.'

'Behalve wij,' zei Driss.

'Wij noemen je gewoon ouwe lul,' zei Bouki. 'Dat is makkelijker.'

'Weet je nog toen we je pet hadden afgepakt?' vroeg Driss.

'Dat was vet lachen man,' zei Bouki.

'Je moet je eigen opa ouwe lul noemen.' Hannes werd kwaad, hij had die eikels niet mee moeten nemen. 'Coach was vroeger een heel beroemde voetballer.'

'Hé Hannesman, respect voor mijn opa,' zei Driss.

'Zijn opa is dood, man,' zei Bouki.

'Je mag niemand een ouwe lul noemen,' vond Coach.

'Ben jij echt een beroemde voetballer geweest?' wilde Driss weten.

'Dat geloof je toch zelf niet,' zei Bouki.

'Echt wel,' zei Hannes. 'Coach kan van twintig meter een colablikje van de doellat schieten. Toch Coach?'

'Vroeger.'

'Nu ook nog, wedden van wel.' Hannes hoopte dat Coach zich niet liet verleiden om dat te bewijzen.

'Waar wedden we om?' vroeg Driss.

'Als het hem lukt, kopen jullie een nieuwe pet voor Coach.' Hannes keek even naar Coach. Het lukte nooit.

'Als het niet lukt, koopt Coach voor ons twee blikjes cola.'

'En als het wel lukt mogen jullie nooit meer ouwe lul tegen hem zeggen,' bedacht Hannes nog.

'Oké ouw...man. Heb jij een bal?'

Hannes holde naar het ballenhok naast de kleedkamer en kwam terug met de enige bal die er behoorlijk stevig uitzag.

Driss en Bouki hadden hun colablikjes op de bovenhoeken van het doel gezet. Driss had Bouki een kontje gegeven zodat hij groot genoeg was om bij de lat te kunnen.

'Als ik die twee blikjes met één schot van de lat schiet

mogen jullie in het elftal van Hannes komen spelen,' zei Coach. 'En drie keer in de week trainen. Is dat goed? Ik zorg ook voor schoenen en shirts.'

Driss en Bouki keken elkaar aan. Dat was natuurlijk te gek, dat kon helemaal niet. Nu moesten ze hopen dat Coach de blikjes van de lat zou schieten. Dit was geen leuke weddenschap meer.

'Ik wil eigenlijk helemaal niet wedden,' zei Driss. 'Hannesman wilde wedden.' Hij keek naar zijn vriend. Bouki knikte.

'Ik weet nog wel waar je pet ligt, eh... Coach. En als-ie vies is...

...kopen we een nieuwe pet voor je.'

Coach keek naar Hannes. 'Wat vind jij, aanvoerder? Mogen deze mannen met jouw elftal meevoetballen? Of moeten we ons aan de weddenschap houden?'

'Gewed is gewed,' besliste Hannes. Hij wilde ook dat de jongens zouden meedoen in zijn elftal, maar hij wist opeens heel zeker dat Coach die colablikjes met één schot van het doel zou knallen.

'Oké. Ik zal mijn best doen. Leg die bal maar op twintig meter van het doel. Twintig flinke stappen. Vier meter buiten het strafschopgebied.'

Hannes mat de afstand nauwkeurig af en Coach nam een aanloopje.

'Wacht even,' zei hij. 'Ik schoot vroeger altijd op doel met een muurtje voor me en een keeper in de goal. Dan kan ik beter mikken.

Als jullie twee nou een muurtje vormen, dan gaat Hannes op doel.'

Coach fluisterde Hannes iets in zijn oor en toen de jongens op de juiste plaats stonden nam hij een aanloop. Hij schoot en de bal vloog loeihard op het muurtje af. Driss en Bouki deden hun armen voor hun gezicht en doken weg. De bal zeilde hoog over het doel en ver naast. Op datzelfde moment dook Hannes met zijn volle gewicht tegen de paal, waardoor de twee blikjes naar beneden vielen. Toen Driss en Bouki zich omdraaiden, zagen ze hun cola vallen.

'Nooit uit de muur springen,' riep Coach. 'Als je in een muurtje staat, blijf je staan, met je handen voor je broek om de eieren warm te houden.'

'Als ik was blijven staan, had mijn hoofd nu in het doel gelegen,' zei Driss.

'Waar heb je zo hard leren schieten?' vroeg Bouki. Hij keek vol bewondering naar Coach. 'Respect man. Ik wil ook zo hard kunnen schieten.'

'Welke eieren?' vroeg Hannes.

6. Stoppen met het bovenbeen

'Mijn vader gaat vanavond met een grote bulldozer het veld omploegen,' zei Dubbelbil. 'Hij heeft van de wethouder gehoord dat de burgemeester heeft gezegd dat wij er nog een tijdje mogen voetballen. Mijn vader is pislink geworden op de wethouder. De wethouder zei dat het de schuld was van de burgemeester. En dat hij er zelf niets aan kon doen. Mijn vader zei dat de wethouder zijn nieuwe garage kan vergeten. Voor mannen die hun woord niet houden, doe ik niets, zei hij.'

'Sta je bij je vader aan de deur te luisteren?' vroeg Donna. 'Als ik bij mijn moeder aan de deur luister, zwaait er wat.'

'E-mail,' zei Dubbelbil. 'Je moet niet luisteren, je moet de e-mail lezen. Dan weet je waar je ouders mee bezig zijn. Een kind van tegenwoordig heeft er recht op om te weten wat zijn ouders uitspoken. Je leest de laatste tijd allemaal gekke verhalen in de krant...'

'Wat bedoel je?' zei Hannes, die de hele tijd had gezwegen. 'Jij leest nooit een krant.'

'Bij wijze van spreken. Maar dat wil niet zeggen dat ik niet op de hoogte ben van het nieuws.'

vork precies in de steel zat. Dat kwam niet omdat ze oud of dom was, maar omdat Hannes en Donna en Dubbelbil door elkaar heen praatten.

'Als een van jullie nou precies uitlegt wat er aan de hand is, begrijp ik misschien wat het probleem is.'

'Heb je nog chips in huis?' vroeg Dubbelbil.

'Ik wist niet dat jullie zouden komen,' zei oma, 'anders had ik wel iets gekocht. Misschien willen jullie een appel?'

'Nee, dankjewel,' zei Dubbelbil. Hij ging naar het keukentje en zocht in de kastjes.

'Kijk,' legde Hannes uit, 'het probleem is dat de vader van Dub...eh Billie, dus uw schoonzoon, zal ik maar zeggen, dat die vanavond het veld van het oude stadion wil omploegen...'

'...met een bulldozer,' zei Donna.

'Juist, ja. Wat ben je daar aan het doen Billie?'

'Niks,' zei Dubbelbil.

'Met een bulldozer? Ik wist niet dat Tonnie op een bulldozer kon rijden. Dat zou ik weleens willen zien.'

'Maar liever niet vanavond,' vond Hannes. Hij had niet de indruk dat oma Fefje de juiste persoon was om te helpen. Waarschijnlijk was Dubbel alleen maar naar zijn oma gegaan om in haar kastjes te zoeken naar snacks. 'Wij mogen van de burgemeester nog een half jaar in het stadion spelen met een echt elftal, omdat er geen plek voor ons is om te voetballen. En dan is het natuurlijk goed klote als het veld is omgeploegd.'

'Ik begrijp het. Dat is behoorlijk klo...eh, vervelend. Waarom wil Tonnie het veld omploegen? Ik bedoel de vader van Billie?'

'Over een tijdje komen er kantoren en nu wil hij er alvast een parkeerplaats van maken.'

Oma Eefje lachte. 'Ja, zo is Anton. Altijd lekker bezig. Handen uit de mouwen. Leren kon hij niet, maar aanpakken des te beter. Ik snap niet hoe mijn dochter verliefd op hem is geworden. Wie wil er nou zo'n asperge?'

Dubbelbil had een zakje ouwe pinda's gevonden.

'Wisten jullie dat Billie op balletles zit?' vroeg oma Eefje aan Hannes en Donna.

Ze keken elkaar aan en knikten.

'Ik wilde vroeger balletdanseres worden. Maar er waren in het dorp waar ik woonde geen balletscholen. Ik moest naar de stad en dat vonden mijn ouders veel te ver. Daarom ben ik geen ballerina geworden.'

'Ik wil piloot worden,' zei Donna.

'Goh,' zei oma. 'Stoer. En wat wil jij worden, krullebol?'

'Voetballer,' zei Hannes. 'Maar de voetbalvelden liggen allemaal in de buitenwijken en je mag er lang niet altijd op. En mijn ouders vinden dat ik piano moet spelen...'

'Dat is mooi, piano spelen. Dat zou ik ook wel willen. Waarom ga jij geen piano spelen, Billie?'

'Als jij de lessen betaalt. Het lijkt me trouwens beter dan balletdansen. Daar heb ik eigenlijk het figuur niet voor.'

Hannes werd ongeduldig. Over een paar uur stonden die kerels voor de poort van het stadion met hun bulldozer. En Coach lag te maffen.

Ze waren hier hun tijd aan het verprutsen.

'Het probleem is dat ik geen voetballer kan worden omdat de vader van eh, Billie, vanavond ons veld wil omploegen.'

'Ja, dat zei je al. Ik ben wel wat ouder maar ik heb geen last van mijn gehoor. Wat moet ik voor jullie doen? Moet ik tegen Billies vader zeggen dat hij voor straf vanavond geen warm eten krijgt? Ik denk niet dat dat werkt.'

'Bij mij wel,' zei Dubbelbil. 'Maar papa eet niet veel. Hij rookt.'

'Wat zeg je nou? Rookt je vader weer? Hij weet toch zeker wat er met opa is gebeurd?'

'Opa rookte twee pakjes sigaretten per dag,' legde Dubbel uit.

'Hij is doodgegaan aan longkanker. Vroeger stond er niet op het pakje dat je dood ging van roken.'

'Precies,' zei oma Eefje. 'We moeten die schoonzoon van mij 'ns goed laten schrikken. Wie heeft er een leuk idee?'

De vader van Dubbelbil prikte in zijn spaghetti. Hij had geen trek.

Hij wilde van tafel. Hij had nog een heleboel te doen vanavond. Maar zijn vrouw wilde niet dat hij van tafel ging voordat iedereen zijn bord leeg had. En omdat Billie zijn bord voor de derde keer vol schepte, moest hij wachten. Hij keek ongeduldig toe hoe zijn zoon zijn bord leegat en schoonlikte.

'Ik ga,' zei hij, toen Billie voor de vierde keer wilde opscheppen. 'Ik ga niet wachten tot dat varken is uitgegeten.'

'Hij rookt weer,' zei Dubbelbil.

'Is dat zo, Toon?'

'Wie geloof je eerder, die dikke zoon van je of je man?'

'Jullie zijn allebei niet te vertrouwen, maar ik geloof Billie eerder dan ik jou geloof.'

De vader van Dubbelbil trok zijn servet uit zijn boord en stoof woedend van tafel.

'Die is weg,' riep de moeder van Dubbelbil vrolijk. 'Nog iemand een toetje?'

'Lekker,' zei Dubbel. 'Maar ik moet eerst even bellen.'

Hij belde Hannes en Donna om te zeggen dat zijn vader het huis had verlaten.

Oma Eefje had zelf een plan bedacht. Toen Hannes, Donna en Billie weg waren, ging ze naar het oude stadion en belde aan bij het huisje van Coach. Coach deed open en zag tot zijn verbazing een klein vrouwtje voor de deur staan.

'Jij woont in een soort aanleunwoning,' zei het vrouwtje.

Coach was niet in de stemming voor grappen. Hij wilde weer op de bank liggen. 'Wie bent u en wat wilt u? Bent u van de nierstichting, de hartstichting, de lever-darm stichting of van de kanker? Het kan me niet schelen, we moeten ergens aan doodgaan, heb ik gelijk of heb ik gelijk?'

'U hebt gelijk, maar ik kom geen geld halen. Ik wil weten of de geluidsinstallatie van het stadion nog werkt.'

'Geen idee. Wat wilt u in godsnaam met de geluidsinstallatie? Voor de bejaardenbingo of het rolstoeltheater?'

'Heb u een biertje voor me?' Oma trok zich niets aan van het humeur van Coach. 'Ik kan geloof ik wel een biertje gebruiken.'

'Alles is op. Maar als u betaalt gaan we even naar café de Sport, op de hoek. Het is een ballentent, maar ze tappen er een mooi glaasje bier.'

'Ik trakteer. Op naar die ballentent. Moet ik u vasthouden of kunt u nog rechtop lopen?'

'Mevrouw, ik was vroeger een eersteklas lijnverdediger. U denkt toch niet dat ik niet meer in een rechte lijn naar café De Sport kan lopen?'

'Des te beter, want u stinkt een beetje. U moet zich vaker wassen, als ik het mag zeggen.'

Ze liep met kleine driftige pasjes vooruit en Coach probeerde haar met grote stappen bij te houden. 'Wie bent u eigenlijk?'

'Eva de Jong. Je mag me Eefje noemen. Ik ben ongeveer van jouw leeftijd. Maar ik denk dat ik een betere conditie heb. Ik heb nooit gerookt, zie je. Ik ben de schoonmoeder van Anton en de oma van Billie.'

'Moet ik die knapen kennen?'

'Billie is een forse jongen die hier met zijn vriend Hannes en zijn vriendin Donna is geweest en die...'

'Oh, die brutale dikzak. Dubbelbil noemt iedereen hem, toch?'

'Dubbelbil,' lachte oma Eefje. 'Dubbelbil, die is goed.'

'En Anton is dus uw schoonzoon, de vader van Dubbelbil?

Onze vriend de kantorenbouwer. Die dunne... eh... sperzieboon.'

Oma Eefje moest nog lachen toen ze café De Sport binnengingen.

Het was een kroeg voor de oude supporters van Sportclub, die daar herinneringen ophaalden aan roemrijke tijden. Coach werd door de aanwezige mannen begroet.

'Wie heb je nou meegenomen, Coach? Is dat de nachtzuster?'

'Ze zijn er niet aan gewend dat hier een vrouw binnenkomt,' verontschuldigde Coach zich voor zijn voetbalvrienden.

Ze gingen aan een tafeltje zitten en Coach vroeg wat Eefje wilde drinken.

'Geef mij maar een glas bier. En neem zelf ook iets.'

Coach keek haar aan of ze niet goed snik was en bestelde twee pilsjes.

'Zo,' zei hij, 'en vertel nou eens waarom je bent gekomen?'

Oma nam een grote slok bier. 'Ik hoorde van eh...Dubbelbil dat zijn vader van plan is om vanavond met een bulldozer het gras in het stadion om te ploegen. Zodat er niet meer op gespeeld kan worden en hij er toch een parkeerplaats van kan maken.'

'Hoho,' zei Coach. 'Dat kan niet. We hebben toestemming van de burgemeester om nog een half jaar in het stadion te spelen.'

'Precies, dat vertelde Hannes. Jij gaat met hem een soort buurtelftal maken en dat ga jij coachen.'

'Zo is het. Als ze er iets van kunnen, nodig ik een jeugdelftal van Sportclub uit en dan mogen ze in het stadion tegen die gasten spelen en laten zien wat ze kunnen. Misschien dat een aantal van die jongens uitgenodigd wordt om bij Sportclub te komen voetballen. Nou ja, we zien wel. Het belangrijkste is dat ze van straat zijn en kunnen ballen.'

'Goed idee. Jij hebt het hart op de goeie plek.'

'Ach,' zei Coach. 'Het is ook in mijn eigen belang. Als ik niets doe, ga ik nadenken. En als ik nadenk, word ik treurig. En als ik treurig word, ga ik drinken. En als ik drink, word ik dronken. En als ik dronken word, word ik nog treuriger. Ik zou jong willen zijn en me weer net zo voelen als vroeger.'

Oma knikte. 'Ik begrijp wat je bedoelt. Ik zit ook vaak te miezeren in mijn huisje. Ouder worden, daar is geen klap aan.'

'Nee,' zei Coach. 'Vooral als je niet gezond bent.'

'Ben je ziek? Wat heb je? Toch niet...'

Coach rolde een sigaret en stak hem op. Roken is dodelijk, stond er in koeieletters op het pakje shag. Hij hoestte en keek even naar oma Eefje. Je kon wel zien dat ze een mooie vrouw was geweest. Ze had lieve bruine ogen met kleine lachrimpeltjes. Coach was nooit getrouwd geweest. Het was er gewoon niet van gekomen. De vriendinnen die hij vroeger had, zeiden dat hij getrouwd was met Sportclub. En daar hadden ze gelijk in. Het liefst stond hij de hele dag op het veld. Voetbal, daar kon geen vrouw tegenop.

'Je bent zeker nooit getrouwd geweest?'

'Hoe weet je dat?' vroeg Coach verbaasd.

'Dat zie ik aan alles. Je bent het jongetje gebleven dat voetballer wilde worden. Net zoals die krullebol, Hannes.'

Ze pakte zijn hand en streelde hem. Coach durfde zijn hand niet terug te trekken.

'Zal ik je helpen?' vroeg ze.

De vader van Dubbelbil, Anton, had zijn kleine dikke vriend, die Loe heette, opgehaald. Samen waren ze naar een groot bouwterrein gereden, waar de aannemer hijskranen en een bulldozer had staan.

'Kun jij in een bulldozer rijden?'

Anton keek Loe minachtend aan. 'Wat denk je, dat ik jou laat rijden?'

'Hoezo? Ik kan helemaal niet in zo'n ding rijden.'

'Percies, dus moet ik rijden.'

Hij klom op de bulldozer en haalde een sleutel uit zijn zak.

'Heb je die van de aannemer gekregen?'

'Stomkop,' zei Anton. Hij zette de motor aan en trok aan de hendel om de grote grijpbek van de bulldozer omhoog te krijgen.

'Stap je nog in,' schreeuwde hij boven het geluid van de motor tegen zijn kleine dikke maat.

Loe probeerde omhoog te klimmen, maar zijn benen waren te kort.

Anton moest hem omhoog trekken in de cabine.

'Waarom neem ik jou toch overal mee naar toe,' zuchtte hij. 'Je bent klein, dik en dom.'

Loe knikte. 'Sorry Toon. Als ik lang, dun en slim was, zoals jij, kon je me niet de hele dag uitschelden.'

Anton keek hem aan. 'Je zit me niet te fokken, hè.'

'Ik zou niet durven,' zei Loe met een strak gezicht.

Anton zette het gevaarte in beweging en ze reden over het bouwterrein, door het hek, naar de openbare weg.

Ze zagen niet dat een klein spichtig meisje op een BMX fiets sprong en in haar mobieltje praatte. 'Jumbo opgestegen, ik herhaal, de jumbo is opgestegen.'

Het was negen uur.

Donna had met Dubbelbil en Hannes afgesproken dat ze tegen hun moeders zouden zeggen dat ze een stuk gingen repeteren voor het schoolcabaret.

'Dat is pas over een half jaar,' zei de moeder van Hannes. Over een half jaar gingen ze van school.

Hannes had tegen zijn moeder gezegd dat hij naar Dubbelbil ging, Dubbelbil dat hij naar Donna ging en Donna dat ze naar Hannes ging.

'We moeten één of twee keer in de week oefenen,' zei Hannes.

'Ik speel piano, Donna zingt en Dubbelbil danst.'

'Ik ben heel benieuwd,' zei zijn moeder. 'Ik hoef me toch niet te schamen ofzo, als ik in de zaal zit?'

De moeder van Hannes was altijd bang dat ze zich voor Hannes moest schamen. Maar eigenlijk was het precies andersom. Als zijn moeder op school kwam, schaamde Hannes zich voor zijn moeder. Omdat ze zo raar lachte en een beetje deftig ging praten tegen de meester.

En ze noemde hem altijd Johannes. Dat was zijn volle naam. Als iemand dat hoorde werd hij minstens een week gepest. Wie heette er nou Johannes? Zijn ouders hadden hem genoemd naar een oud kinderboek, 'de kleine Johannes'. Dat was waarschijnlijk de reden dat hij nooit groot zou worden. Hij had het boek niet gelezen, het leek hem saai en ouderwets, wat ongeveer hetzelfde was.

Gelukkig noemden zijn vrienden hem Hannes.

Donna probeerde op haar BMX de bulldozer bij te houden. Het gevaarte kon niet zo hard rijden als een auto, maar Donna moest laag vliegen om hem bij te houden. Ze had geen idee hoe zij, met Hannes en Dubbelbil, die bulldozer kon tegenhouden.

Oma Eefje had gezegd dat ze een plan zou verzinnen. Maar het was natuurlijk een oude vrouw. Je kon niet verwachten dat ze vanavond haar huisje uit kwam en met haar handen omhoog voor de bulldozer ging staan. Van Coach hoefden ze niks te verwachten.

Donna moest het samen met Hannes en Dubbel opknappen.

Ze wist hoe belangrijk het voor Hannes was. Als iemand tegen haar zou zeggen dat ze het oude vliegveld gingen afbreken, zou ze ook alles doen om te zorgen dat dat niet doorging. En dan zouden Hannes en Dubbelbil haar helpen. Nou ja, die vergelijking was niet helemaal eerlijk. Hannes wilde namelijk echt voetballer worden en Donna wist niet zeker of ze wel piloot wilde worden. Het was stoer om te zeggen en ze had iedereen altijd verteld dat haar vader piloot was.

Haar vader was geen piloot.

Eerlijk gezegd had ze haar vader nog nooit gezien. Ze verzon dat hij de hele wereld over moest vliegen en dat hij daarom nooit thuis was. De waarheid was dat ze alleen met haar moeder woonde en dat haar moeder niet wilde vertellen wie haar vader was. Misschien wist ze het gewoon niet. Dat kon ook.

Daarom fantaseerde ze dat hij piloot was en iedereen geloofde haar. Hannes en Dubbel waren haar beste vrienden. Eigenlijk had ze nog nooit een vriendin gehad. De meeste meiden vond ze behoorlijk stom. Ze waren alleen maar bezig met hun uiterlijk, met shoppen en belachelijke Amerikaanse televisieseries. Je kon beter met jongens omgaan. Niet met alle jongens natuurlijk.

Donna wist nog niet naar welke middelbare school ze zou gaan. Ze was niet dom, maar omdat ze geen bril op wilde zetten in de klas, maakte ze veel fouten. Ze wilde het liefst bij Hannes en Dubbel blijven.

Een van de vrienden van haar moeder had gezegd dat ze meer op een jongen dan op een meisje leek. Haar moeder had een heleboel vrienden, die allemaal aardig tegen haar deden. Waarschijnlijk omdat ze bij haar moeder wilden blijven slapen. De meesten maakten geen enkele kans, dus die zag je na een tijdje niet meer.

Als er een man was die haar moeder wel aardig vond, vroeg ze aan Donna wat zij van hem vond.

Het kon Donna niet schelen wie er bij haar moeder bleef slapen.

Als hij maar niet te lang in de badkamer bleef of ging stinken op de wc. En ze hield ook niet van mannen die rookten, want dan ging mama meeroken. Als Donna ergens een hekel aan had was het aan rook in huis.

Ze was de bulldozer bijna uit het oog verloren, maar ze wist een kortere weg naar het oude stadion. Een eenrichtingsweg, waar de bulldozer niet mocht rijden. Ze vloog over de stoep en schoot door een rood stoplicht. Vijf minuten later was ze bij de poort van het stadion. Daar stond Hannes te wachten. Dubbelbil zat op een paaltje. 'Ze komen er zo aan,' hijgde Donna. 'Wat gaan we doen?'

'Ik ga tegen mijn vader zeggen dat hij onmiddellijk moet thuiskomen,' zei Dubbel. 'Mama is link omdat hij weer rookt. Als hij niet naar huis komt gaat ze van hem scheiden. En als ze van hem gaat scheiden heeft hij een probleem. Want mama is eigenlijk de baas van zijn bedrijf.'

In de verte hoorden ze de bulldozer al aankomen.

'Hoezo?' vroeg Hannes. 'Waarom is je moeder de baas van het bedrijf van je vader? Je moeder gaat nooit naar kantoor, toch?'

'Mama en oma hebben een vette erfenis gekregen toen mijn opa doodging. Met dat geld is mijn vader kantoren gaan bouwen. Maar mama en oma zijn nog steeds de grootste aandeelhouders.'

Ze zagen de lichten van de bulldozer en gingen met zijn drieën voor de poort van het stadion staan. Donna gaf Hannes een hand en kneep er even in. Dubbelbil liet van de zenuwen een vieze wind.

'Wat heb je gegeten?' vroeg Hannes.

De bulldozer met de grote grijpbek stopte vlak voor de poort.

De banden waren net zo hoog als Hannes. De vader van Dubbel stapte uit.

'Wat doe jij hier?' schreeuwde hij tegen zijn zoon.

'Ik ben door mama gestuurd,' zei Dubbelbil kalm. 'Je moet onmiddellijk thuiskomen, anders zwaait er wat.'

Loe probeerde ook uit de bulldozer te stappen, maar hij kon niet bij de afstap en viel op de grond.

'Wat zegt je zoon?' vroeg hij aan de vader van Dubbelbil.

'Ik moet onmiddellijk thuiskomen. Pia is boos.'

'Waarom, heb je je bord niet leeggegeten? Of weet ze dat je weer rookt?'

'Precies. Dat heeft Billie haar verteld.'

Hannes en Donna wachten gespannen af. Dubbel leek zich niet echt ongerust te maken.

'Zal ik Pia even bellen?' vroeg Loe. 'Naar mij luistert ze wel.'

'Wat bedoel je?'

'Net wat ik zeg, je moet vrouwen proberen te begrijpen. Dat is jouw probleem.' Hij haalde zijn mobieltje tevoorschijn en belde naar de moeder van Dubbelbil.

'Hé Pia, met Loe. Ik hoor net dat je boos bent op Anton. Billie schijnt verteld te hebben dat hij weer rookt.'

De rest van het gesprek konden ze niet verstaan. Loe knikte en knipoogde af en toe naar de vader van Dubbelbil. Na een paar minuten was het gesprek afgelopen. 'Niks aan de hand,' zei Loe.

'Hoe wist jij dat ik hier zou komen?' vroeg Anton kwaad aan zijn zoon.

'Dat zeg ik niet,' zei Dubbel.

'Luister je naar me als ik in mijn kantoor aan het bellen ben? Of lees je mijn e-mail?'

'Kom op Toon,' zei Loe. 'Dat is nu niet belangrijk. Laten we aan de slag gaan. Ik moet om elf uur thuis zijn.'

De vader van Dubbelbil haalde een sleutel uit zijn zak en maakte het slot van de poort open. Daarna stapte hij in de bulldozer.

'We moeten voor de bulldozer gaan liggen,' zei Hannes tegen Donna en Dubbelbil.

'Ik ga daar niet liggen,' zei Dubbelbil. 'Die gek rijdt zo over ons heen. Heb je die banden gezien.'

Donna ging op de grond liggen en Hannes ook. Ze deden hun ogen dicht en wachten af tot de bulldozer over hen heen kwam rijden.

Het was doodeng, maar ook wel cool. Hannes kon zich niet voorstellen dat de vader van Dubbel echt over twee kinderen zou rijden.

Dat gebeurde ook niet.

Anton had een ander plan. Hij liet de grote bek van de bulldozer op de grond komen en schoof de tanden langzaam onder Donna en Hannes. Voor ze het wisten werden ze opgeslokt door de grijper en omhoog getild. Het was een gevoel zoals dat meisje moest hebben gehad toen ze in de film door King Kong werd opgetild.

Donna vond het spannend, Hannes dacht dat het afgelopen was.

Ze konden niets meer doen. De vader van Dubbel reed het oude stadion binnen en zou zo gaan beginnen het gras om te ploegen.

Dat was het einde van de plannen die Coach en hij hadden.

Hij beet op zijn lippen om niet te hoeven huilen.

De bulldozer reed verder en de grijpbek ging langzaam naar beneden. Over een paar seconden zou hij het gras kapot maken.

Maar toen gebeurde er iets.

Vlak voordat de grijper van de bulldozer de grasmat raakte, floepten opeens de schijnwerpers in de lichtmasten aan. Het veld was binnen een paar seconden fel verlicht. De vader van Dubbelbil wist even niet wat hij moest doen. Wie had die lichten aangedaan? Hij besloot om zich er niets van aan te trekken en liet de bek van de grijper nog verder zakken waardoor de twee kinderen eruit konden klimmen en weglopen.

Op dat moment klonk er een woest geblaf door de luidsprekers van het stadion. Daarna zei een onbekende stem: 'Hallo Toon... hallo Toon sperzieboon. Hier spreekt Abe, de oude hond. Als je één graspriet van het veld aanraakt, kom ik persoonlijk zo hard in je billen bijten, dat je nooit meer lekker kunt zitten.'

De vader van Dubbelbil schrok zich dood en keek zenuwachtig om zich heen. Waar kwam die stem vandaan en wie wist wat hij van plan was? Hij durfde de grijper niet in het gras te zetten voor hij wist wie hem deze poets bakte.

Uit de luidspreker klonk weer hard en dreigend geblaf.

'Toon sperzieboon. Toon sperzieboon. Ga naar huis met je zoon.

Laat je hier niet meer zien. En hou op met roken.'

Aan de andere kant hoorden ze gillende politiesirenes. De hond, die Abe heette, blafte onophoudelijk door de speakers van het stadion, het was om gek van te worden.

Hannes keek Donna aan en kneep in haar hand. Donna lachte.

De geest van Abe had zijn werk gedaan en de politie deed de rest.

De volgende dag liep oma Eefje samen met Coach de werkkamer van de burgemeester binnen.

'Dat was op het nippertje,' zei ze tegen de burgemeester.

De burgemeester keek haar verbaasd aan. 'Wilt u me eerst vertellen wie u bent. Die meneer ken ik al. Jan Beck, toch? De beheerder van het oude stadion.'

Coach knikte. Hij was moe. Het was natuurlijk prachtig dat door de truc van Eefje het veld van het stadion niet was omgeploegd en dat er nog steeds gevoetbald kon worden. Maar hij had gezien hoe kwaad die sperzieboon was. Ze waren nog lang niet van hem af. Zelf had hij de energie niet om voortdurend in de gaten te houden of er iets gebeurde, waardoor het stadion en het veld gevaar liepen.

Eefje hield niet van zuchten en steunen. Ze had de energie van tien paarden en ze leek precies te weten wat ze wilde. Ze had tegen hem gezegd dat hij niet zoveel moest drinken. Als hij 's morgens al ging drinken, wist hij 's middags niet meer hoe hij heette en wat hij gisteren van plan was.

Daarom had hij vandaag nog niet gedronken en rookte hij alleen als er niemand in de buurt was. Hij moest afkicken om helder te blijven en te doen wat hij de jongens had beloofd.

Oma Eefje vertelde de burgemeester dat ze Eva de Jong heette en dat ze de schoonmoeder was van Anton van Dieren, de projectontwikkelaar. En dat ze haar schoonzoon had tegenhouden toen hij het grasveld van het oude stadion wilde omploegen. Maar ze kon moeilijk elke avond in het stadion gaan zitten om het grasveld te bewaken.

'Is die Van Dieren nou helemaal van de pot gerukt? Excuseer mijn woordgebruik, maar ik ben zeer ontstemd, dat kunt u van me aannemen. Ik heb gezegd dat de jongens nog een half jaar in het stadion mogen spelen.'

'Mijn schoonzoon was het daar niet mee eens. Daarom heb ik hem flink laten schrikken. Maar ja. Ik denk dat het nu uw beurt is om hem te vertellen dat hij met zijn poten van het gras moet afblijven. 'Willen jullie koffie?' De burgemeester was gaan zitten en bladerde in haar agenda.

'Ik heb wel een idee,' zei oma Eefje tegen de burgemeester.

8. Stoppen met de binnenkant

Hannes had al een paar dagen niets meer gehoord van Coach.

Daarom was hij naar het oude stadion gefietst en belde hij aan bij de woning van Coach.

Coach deed open en Hannes viel bijna achterover van verbazing.

Coach had een mooi nieuw trainingspak aan en hij had zich goed geschoren. Hij zag er bijna tien jaar jonger uit.

Het huis rook niet meer naar oude hond en volle asbakken. Het was helemaal schoongemaakt en zelfs de ramen waren gelapt, zodat je mooi over het veld in het stadion kon kijken. Coach lachte verlegen naar Hannes. 'Oma Eefje is bij me ingetrokken,' fluisterde hij. 'Ik mag niet meer roken in huis. Maar het huis is nu wel mooi schoon. Tja. Elk nadeel heeft z'n voordeel, zei Johan Cruijff al.'

'Wat zegt-ie?' riep oma Eefje uit het keukentje. 'Wie is daar?'

'Ik,' zei Hannes. 'Coach zegt dat hij heel blij is met u.'

Oma Eefje kwam de keuken uitlopen en zoende Hannes op zijn wang. Hannes kreeg een rood hoofd. 'Ik ben ook heel blij met Coach,' zei ze. 'Ik voel me tien jaar jonger.' Ze gaf Coach ook een zoen en lachte naar hem.

Hannes durfde niet goed te kijken. Hij werd verlegen van verliefde mensen. Gelukkig zoenden zijn vader en moeder elkaar nooit. Stel je voor. Maar oma Eefje en Coach...dat was helemaal gek.

'Ik ga met Coach trouwen,' zei oma.

'Echt waar?'

Coach knikte en keek naar de grond.

'Maar blijf je ons dan nog wel trainen?'

'Tuurlijk,' zei oma. 'Daar gaat het juist om. Jantje Beck moet ervoor zorgen dat jullie de kans krijgen om voetballer te worden. Maar als hij teveel rookt en teveel drinkt, komt daar niets van terecht. Dus moet ik op hem letten. En ik kan het best op hem letten als ik met hem getrouwd ben. Haha. Dat zei een beroemde trainer vroeger al eens. Voetballers moeten jong trouwen, anders gaan ze gekke dingen doen.'

Hannes keek van oma naar Coach. 'Moet ik ook vroeg trouwen?'

Hij wilde helemaal niet trouwen. Hij vond de meeste meisjes raar en vervelend. Alleen Donna was cool, maar Donna telde niet.

'Hoe oud ben je?' vroeg oma.

'Bijna twaalf.'

'Dan heb je nog minstens tien jaar om een leuk meisje te vinden,' lachte oma Eefje.

'Ik ben nooit getrouwd geweest,' zei Coach. 'Ik vind het onzin.'

'Had je liever door willen blijven stinken?' Oma deed alsof ze boos op hem was, maar je kon zien dat ze het niet echt meende.

'Wanneer gaan jullie trouwen?'

'Overmorgen,' zei oma. 'De burgemeester zelf verbindt ons in de echt.'

'In de echt?'

'De echt, ja. Dat is een deftig woord voor huwelijk.'

Hannes keek nog een keer naar Coach. Hij leek niet op iemand die overmorgen in de echt werd verbonden door de burgemeester. Hij leek meer op iemand die net had gehoord dat zijn club met 6-0 had verloren. Hannes begreep er niets van. Wat was er met zijn nieuwe vriend gebeurd? En van oma Eefje begreep hij nog minder.

Hij wilde dat Coach weer die ouwe stinkerd was die hem ging leren hoe hij moest trappen met de wreef. Wat moest hij tegen Quincy zeggen? En tegen Driss en Bouki? Ze zouden hem vierkant uitlachen als hij ze zou vertellen dat Coach opeens weer Jan Beck was geworden en met oma Eefje ging trouwen. En wist Dubbelbil het al? Dat zijn oma met Coach ging trouwen? Hannes had zin om hard weg te lopen en nooit meer terug te komen.

'Zal ik een paar pannenkoeken bakken?' vroeg oma Eefje. 'Om te vieren dat we gaan trouwen.'

Pannenkoeken. Kijk, dat was andere taal. Zijn moeder bakte nooit pannenkoeken, omdat het huis dan twee dagen naar de koekenpan stonk.

'Bel Donna en Bil... eh... Dubbelbil en vraag of ze ook trek hebben in pannenkoeken,' zei oma.

Een half uur later zaten ze met zijn allen in de kleine keuken en keken toe hoe Dubbelbil dertien pannenkoeken at. Donna was na twee pannenkoeken opgehouden, Hannes en Coach hadden er ieder drie gegeten.

Oma Eefje vertelde ondertussen dat ze overmorgen met Coach zou gaan trouwen. Donna vroeg of ze met een vliegtuig op huwelijksreis gingen.

'Coach heeft vliegangst,' zei oma Eefje. 'Dat heeft hij me gisteren verteld. Hij durft niet in een vliegtuig.'

Dubbel schudde zijn hoofd. 'Krijg ik dan nog wel geld voor mijn balletles?' vroeg hij met volle mond. 'Ik bedoel, als kleinzoon hoef ik er toch niet onder te lijden dat mijn oma opeens verliefd wordt?'

'Wat ben jij toch een dikke egoïst. Je denkt alleen maar aan jezelf, net als je vader. Je moet blij zijn voor mij en voor Coach. We waren allebei alleen en treurig en nu zijn we niet meer alleen en vrolijk.'

'Ik vind helemaal niet dat Coach er vrolijk uitziet,' zei Dubbelbil.

'Hij mag natuurlijk niet meer roken en drinken van jou.'

'Met mate,' lachte oma. 'Hij moet geen veertig sigaretten per dag roken en teveel drinken. Dan kan hij jullie niet trainen. Heb ik gelijk of heb ik groot gelijk?'

Coach stond op en liep naar buiten.

'En,' zei oma, 'ik kan nu dag en nacht in de gaten houden of die sperzieschoonboonzoon het veld niet gaat omploegen.'

'Lig je 's nachts bij Coach in bed?' vroeg Dubbelbil, terwijl hij aan zijn veertiende pannenkoek begon.

'Dat gaat je geen donder aan, dikzak.'

Hannes keek naar buiten. Hij wilde weten wanneer ze gingen trainen. Waar was Coach gebleven? Als hij eerst ging trouwen en gelukkig worden, kon het nog een tijd duren voordat ze konden gaan voetballen.

'Jij wilt natuurlijk weten wanneer de eerste training is?' zei oma Eefje tegen hem. Ze zag dat Hannes een beetje stil naar zijn lege bord zat te kijken.

'Ja.'

'Overmorgen. Woensdagmiddag om twee uur gaan Coach en ik trouwen. En daarna is de eerste training. Ik verwacht alle jongens precies om één uur hier. Dan krijgen jullie schoenen, kousen, shirts, broekjes en trainingspakken.'

Dubbelbil knikte. 'Ik heb oma alle maten doorgegeven. Dope man.'

'Ze hadden alleen de maat van Billie niet in de winkel,' zei oma.

'Ik moet met hem naar een speciale kleermaker. Hij krijgt een maatpak.'

'Ik mag natuurlijk niet afvallen,' zei Dubbelbil. 'Zijn er nog pannenkoeken, misschien?'

Hannes keek naar Donna. Ze haalde haar schouders op. Donna kon het ook niet geloven. Hij had het gevoel dat hij voor de gek werd gehouden. Hij keek naar Dubbel. De stroop zat over zijn hele gezicht. Als Dubbelbil hem voor de gek hield... dan... nou ja, hij kon zich niet voorstellen hoe zijn leven zou zijn zonder Dubbelbil en zonder Donna. Maar hij kon zich ook niet voorstellen dat Dubbel in het doel stond en ballen tegenhield. Eigenlijk kon hij zich opeens niets meer voorstellen. Gingen ze over een paar dagen echt in het stadion trainen? En daarna? Tegen welke club gingen ze dan spelen? En zou iedereen wel komen overmorgen? Hij werd opeens heel zenuwachtig en misselijk. Waarom wilde hij eigenlijk voetballer worden? Misschien kon hij beter piloot worden, zoals Donna.

'Waarom wil je voetballer worden, Hannes?' vroeg oma Eefje, die kennelijk zijn gedachten kon raden.

'Hij wil rijk en beroemd worden,' zei Dubbelbil.

'Niet waar,' zei Donna. 'Hannes wil winnen. Als je groenteboer wordt of meester of piloot, kun je niet winnen.'

Hannes schudde zijn hoofd. Hij dacht helemaal niet aan winnen en ook niet aan rijk worden of beroemd. Hij wilde mensen blij maken.

Dat klonk behoorlijk stom, maar het was wel de waarheid. Toen hij een jaar of vijf was, had hij een wedstrijd gezien van het Nederlands elftal, op de televisie. Zijn ouders waren niet thuis en hij had samen met zijn opa gekeken. Bij elk doelpunt van Nederland was opa verschrikkelijk blij geworden. Net als alle mensen in het stadion. Iedereen ging helemaal uit zijn dak.

Hij hoopte dat zijn vader en moeder ook blij zouden worden als hun zoon doelpunten maakte. Maar hij wist niet precies of dat een goeie reden was om voetballer te worden.

'Vind je het leuk om doelpunten te maken?'

'Weet ik niet,' zei Hannes. 'Ik heb nog nooit een doelpunt gemaakt in een echte wedstrijd.'

'Als je rijk en beroemd bent kun je alles kopen wat je wilt,' zei Dubbelbil. 'Ik wil rijk en beroemd worden.'

'Waarmee wil je rijk en beroemd worden,' vroeg Donna. 'Toch niet als keeper?'

'Wat is daar mis mee? Ik word de dikste keeper van de wereld. En de beste.'

'Als je moet springen kom je nog geen centimeter van de grond, hoe kun je dan de beste keeper worden?'

'Hoe kun jij nou piloot worden als je stekeblind bent,' kaatste Dubbelbil terug.

'Dat heeft er niks mee te maken. Als ik groot ben laat ik mijn ogen lazeren. Maar als jij groot bent, kom je nog steeds geen centimeter van de grond.'

'Klaar, ophouden, genoeg,' riep oma. 'Jullie moeten naar huis want ik heb nog een hoop te doen.'

Hannes lag in bed. Hij was echt misselijk geworden. Toen hij thuiskwam zaten zijn vader en moeder aan tafel. Hij had geen honger meer omdat hij drie pannenkoeken had gegeten. Maar dat kon hij niet vertellen. En dus moest hij eerst een bord champignonsoep eten en daarna bloemkool met witte saus en een dikke gehaktbal en kruimaardappelen met jus. En toen ook nog rijstepap.

Het was stil aan tafel. Alleen de klok maakte geluid.

'Heb jij nog iets bijzonders meegemaakt op kantoor, Wim?' vroeg zijn moeder.

'Nee, hoezo? Pieters was jarig. Hij trakteerde op gevulde koeken.'

'Noem dat maar niks. Ik heb de hele dag voor jullie gepoetst en gekookt en gewassen. Ik had ook wel een gevulde koek gelust.'

De moeder van Hannes poetste de hele dag. Alle hoeken en gaten van het huis moesten superschoon zijn. Als Hannes onder de douche had gestaan, ging ze onmiddellijk de badkamer dweilen en als hij naar de wc was geweest ging ze met een borstel de pot soppen.

Hannes en zijn vader moesten zitten bij het plassen. Als ze toch hadden gestaan en gespetterd, gaf zijn moeder de hele wc een grote beurt.

Het werd steeds erger met zijn moeder, vond Hannes.

'Smetvrees,' wist Dubbelbil. 'Je moeder heeft smetvrees. Ze is bang voor alles wat vies is.'

'Hoe kun je daar nou bang voor zijn,' vroeg Donna. 'Ik kan me best voorstellen dat iemand hoogtevrees heeft, of angst om te vliegen.'

'Of angst voor spinnen en muizen,' zei Dubbelbil. 'Of om in een lift naar boven te gaan. Misschien denkt de moeder van Hannes dat ze ziek wordt van bacteriën.'

Hannes haalde zijn schouders op. Het was niet leuk om een moeder te hebben die de hele dag keukenhandschoenen aan had. Elke dag een nieuw paar keukenhandschoenen. En elke dag deed ze schone lakens op de bedden.

Zelfs zijn vader vond het te gek worden. 'Tineke,' had hij een paar weken geleden nog gezegd, 'vind je niet dat je een beetje overdrijft?'

Zijn moeder was heel boos geworden en dus durfde zijn vader er niets meer van te zeggen.

Hannes werd steeds misselijker. Als hij niet snel naar de wc ging, zou hij de vloer in zijn slaapkamer onder kotsen. Hij sprong uit bed en liep de trap af naar de wc. De deur zat op slot.

'Ik moet,' riep hij.

'Even wachten,' zei zijn vader.

Hannes hield het niet meer uit. Hij voelde hoe de pannenkoeken omhoog kwamen en de bloemkool en de rijstepap naar boven drukten. Hij keek in paniek om zich heen of hij iets zag waar hij in kon spugen, maar hij zag niets. Toen kwam het. Hij kotste op de vloerbedekking van de hal en de trap. En op zijn pyjama en tegen de deur van de wc.

'Wat doe je nou?' Zijn moeder kwam uit de keuken gestoven met haar gele handschoenen in de lucht. 'Nee. Nee. Waarom doe je dat? Doe je dat om mij te pesten? Weet je hoe lang ik bezig ben om alles schoon te krijgen? Rotjong.'

Zijn vader deed de wc-deur open. Door de poeplucht die uit de wc naar buiten kwam, werd Hannes opnieuw misselijk en moest hij weer kotsen.

Dat was teveel voor zijn moeder. 'Ik ga naar een hotel. Jullie zorgen maar dat het morgen helemaal schoon is hier.' Ze trok woedend haar jas aan en ging weg. Ze hoorden de achterdeur met een harde klap dichtslaan. Ze had nog steeds haar gele keukenhandschoenen aan, bedacht

Hannes. Hij had een zure smaak in zijn mond en zijn keel deed zeer.

'Mama komt wel weer terug. Ze heeft geen geld bij zich.'

Zijn moeder had nooit geld bij zich. Ze wilde geen geld aanraken omdat het geld door de vieze handen van andere mensen was gegaan. Als Hannes een boodschap had gedaan en met geld had betaald, moest hij zijn handen twee keer boenen met groene zeep.

'Moeten we de boel niet schoonmaken?'

Zijn vader schudde zijn hoofd. 'Mama vindt toch dat we het niet goed doen. Waarom ben je zo misselijk?'

'Omdat ik al drie pannenkoeken had gegeten.'

'Lekker,' zei zijn vader. 'Ik zou ook wel weer eens pannenkoeken willen eten.'

'Mama heeft smetvrees. Misschien moet ze naar een dokter of zo.'

'Ach,' zei zijn vader. 'Zo erg is het niet. Ze houdt van een schoon huis. Dat is toch niet erg. Een huisvrouw wil graag...'

'Het is niet normaal,' zei Hannes.

Ze hoorden de achterdeur en even later kwam zijn moeder de hal binnen, waar Hannes nog steeds in zijn vuile pyjama stond. Hij zag dat ze had gehuild.

9. Stoppen met de buitenkant

'Ik heb gisteren gekotst,' zei Hannes tegen Donna. 'Ik moest na die pannenkoeken thuis ook nog eten.'

'Waarom heb je niet gezegd dat je al gegeten had, dat heb ik ook tegen mijn moeder gezegd. Ze was blij dat ze niet hoefde te koken.'

Hannes wilde dat hij zo'n makkelijke moeder had als Donna. En een vader die nooit thuis was. 'Waar is Dubbel?'

Donna haalde haar schouders op. 'Ik ben bij hem langs geweest, maar zijn moeder zei dat hij al weg was. Ze dacht dat hij jou ging ophalen.'

Ze liepen zwijgend naar school. Het was raar om zonder Dubbelbil naar school te lopen. Hannes kon zich niet herinneren wanneer dat voor het laatst gebeurd was. Dubbel was nooit ziek en hij was altijd vrolijk. Waarom waren dikke mensen vrolijker dan dunne mensen, dacht hij.

Ze kwamen langs de kerk waar Hannes zijn bal kwijtgeraakt was.

Hij had al een paar keer op het punt gestaan om naar binnen te gaan en de bal terug te vragen. Maar hij durfde niet. Misschien durfde Dubbel het. Dubbelbil durfde alles. Het was natuurlijk stom dat hij het nog nooit aan hem had gevraagd. En nu hij er aan dacht, was Dubbelbil er niet.

Donna durfde het ook niet. Donna was vandaag niet opgestegen met een van haar vliegtuigen. Het was een rare dag.

'Hij zal wel op school zijn.'

Hannes knikte. Maar op het schoolplein zagen ze hem niet en toen ze in de klas kwamen, zat hij niet op zijn vaste plek. Dubbel had een bankje met twee stoelen achterin de klas. Vlak achter Hannes en Donna. Het was een veilig gevoel om voor hem te zitten.

'Waar is Billie?' vroeg meester Alfons. 'Hij heeft toch een mobieltje bij zich?'

Hannes haalde zijn schouders op. Donna keek achterom, alsof Dubbelbil daar opeens toch zat.

'Is er iets gebeurd? Jullie zijn altijd met zijn drieën?'

De ochtend ging voorbij, maar Hannes kon zich niet concentreren op zijn sommen en op het verhaal van meester over de ontdekking van Amerika. Tijdens het speelkwartier zaten Hannes en Donna op een hekje en keken de straat in. Ze hoopten dat Dubbel opeens aan kwam lopen, met in elke hand een zak chips.

Na het speelkwartier riep meester hen bij zich in zijn kantoortje. 'Weten jullie echt niet waar Billie is? Ik heb zijn moeder gebeld en die maakt zich behoorlijk ongerust. Ze dacht dat hij met jullie naar school was gelopen. Als er iets gebeurd is, is het beter om dat aan mij te vertellen.'

'Misschien heeft het iets te maken met oma Eefje,' zei Donna.

'Oma Eefje gaat morgen trouwen met Coach,' vulde Hannes aan.

Ze vertelden meester wie oma Eefje was en wie Coach was.

'Mogen we naar het oude stadion om te kijken of oma en Coach weten waar hij is?'

'Hebben die mensen geen telefoon?'

Hannes haalde zijn schouders op.

'Oké. Gaan jullie maar even kijken. Over een uur terugkomen, anders bel ik de politie.'

Hannes had nog nooit in zijn leven zo hard gerend. Hij moest proberen om Donna bij te houden. Maar Donna kon veel harder lopen. Toen ze bij het stadion kwamen, had hij steken in zijn zij.

Donna belde aan bij het huisje van Coach. Er deed niemand open.

Ze liepen naar de grote poort. Die zat niet op slot, ze konden zomaar het stadion binnenlopen. Hannes stelde zich voor dat er heel veel mensen op de tribune zaten, die allemaal gingen klappen omdat ze het veld opliepen.

Opeens klonk er keihard gekraak uit de luidsprekers en daarna zei een stem: 'Hallo hallo. Welkom in het stadion. Waarom zitten jullie niet op school? Zijn jullie spijbelaars of heten jullie toevallig Donna en Hannes?'

Hannes en Donna keken om zich heen. Het was moeilijk te verstaan, maar ze hoorden allebei dat het Dubbel was. Waar zat die dikke spijbelaar? Ze keken door het lege stadion en opeens zag Hannes hem, in een soort cabine boven de tribune aan de overkant. Donna zag natuurlijk niets.

Dubbel zwaaide. Hannes zwaaide terug en liep het veld over en ging de tribune op.

Donna liep achter hem aan.

Dubbelbil zat in een houten hok met een groot venster. De vloer lag bezaaid met lege chipszakken en het stonk naar vieze winden.

'Ik ben vanmorgen even bij Coach en oma langsgegaan,' legde hij uit. 'Ik wou vertellen dat ik liever geen keeper wil zijn. Ik denk niet dat ik er geschikt voor ben. Ik hou niet van staan en een keeper moet de hele wedstrijd staan. En je kunt ook niet eten als je in het doel staat. Probeer maar eens een zak chips leeg te eten met keepershandschoenen aan. Dat lukt niet. Dus ik ben naar oma en Coach gegaan om te zeggen dat ze dat keeperspak voor mij niet hoeven te laten maken. Maar ze waren niet thuis. Toen ben ik het stadion ingelopen om ze te zoeken. Ik dacht dat het slim was om ze even om te roepen. 'Mededeling voor de heer Coach en mevrouw oma. Wilt u alstublieft naar de uitgang komen?'

'Zit je hier al de hele ochtend?' vroeg Donna. 'Iedereen is ongerust.

Je moeder en de meester. Als je niet snel naar school komt, bellen ze de politie.' Ze kneep haar neus dicht. 'Tjeezis, wat stinkt het hier. Heb jij al die winden gelaten?'

Dubbelbil sloeg een hand voor zijn mond. 'Stomkop. Oetlul. Zulthoofd. Ik ben vergeten te bellen. Ik wilde meester bellen om te zeggen dat ik naar de tandarts moest.'

'Moest je naar de tandarts?' vroeg Donna.

'Nee, natuurlijk niet. Ik hoef nooit naar de tandarts. Ik had geen zin om naar school te gaan. Ik wilde hier blijven zitten en gekke dingen zeggen in de microfoon.'

Dubbelbil drukte op een knop van een ouderwetse microfoon.

'Hier volgt de opstelling der beide elftallen. In het doel, met nummer één: Donna, de vliegende kiep.'

Dat klonk prachtig, vond Hannes. Donna, de vliegende kiep. Waarom zou Donna niet op doel kunnen, in plaats van Dubbel?

Donna kon mooie zweefduiken maken. 'Wil jij geen keeper worden?' vroeg hij.

'Als ik in doel sta, zie ik de bal niet eens aankomen.'

'Als piloot mag je geen bril op, maar als doelman toch wel?' dacht Dubbelbil.

'Doelvrouw.' Donna dacht even na. 'Denken jullie dat ik dat kan?'

Hannes knikte en Dubbel drukte weer op de knop van de microfoon. 'Met nummer één, Donna, de vliegende kiep.' Het klonk prachtig mooi door het lege stadion.

'We moeten naar school,' zei Hannes. 'Anders belt meester de politie.'

Ze probeerden zo snel mogelijk naar school te lopen, maar met Dubbelbil was dat makkelijker gezegd dan gedaan.

'Heb je soms slakken gegeten?' vroeg Hannes.

Dubbel moest even rusten en veegde met een zakdoek het zweet van zijn hoofd. Ze waren nog geen tweehonderd meter van het stadion.

Van de andere kant kwam een groepje jongens. Twee van de jongens hadden vorig jaar nog op school gezeten. Ze waren met zijn vijven en ze hadden kaalgeschoren koppen. Het zag er niet prettig uit. Hannes was het liefst teruggelopen naar het stadion, maar dat kon je natuurlijk niet doen.

De kaalkoppen hadden allemaal dezelfde hoge schoenen aan en zwarte jacks. Lonsdale. Dat was een merk voor losers, vond Hannes.

'Hé, wie hebben we daar,' riep een van de jongens die bij hen op school gezeten had. 'De dikzak, de blinde en de kleuter.'

De andere jongens lachten. Ze rookten en ze spuugden stoer op de grond.

'Moeten jullie niet naar school?' vroeg de grootste. Zijn

kale hoofd zat vol deuken. Hij had vijf ringen in zijn oor en twee boven zijn oog.

'Sorry heren,' zei Dubbelbil. 'Wilt u zo goed zijn om ons te laten passeren. Wij hebben haast. We moeten inderdaad naar school.'

Hannes stootte Dubbelbil aan. Als Dubbel gekke dingen ging zeggen werden die jongens pislink.

'Ga je leuk doen, dikbil?' vroeg de grootste, die waarschijnlijk ook de leider was. 'Ik geloof niet dat wij op jouw grappen zitten te wachten. Wij maken zelf wel grappen.'

De andere jongens keken hun aanvoerder trots aan, ze trokken aan hun sigaret en spuugden nog eens op de grond. Hannes voelde dat Donna in zijn hand kneep. Ze was bang. Dubbelbil was nooit bang, voor niemand.

'Jullie zien er ook heel grappig uit,' vond Dubbelbil. 'De heren zijn naar dezelfde kapper geweest, zo te zien. Lekker fris, de wind om je schedel, zodat je hersens koel blijven. Maar nu moeten we echt verder.'

'Ik geloof dat jij het niet helemaal hebt begrepen,' zei de leider van de kaalkoppen. 'Jij hebt geen respect man. Jij staat ons te fokken.'

Hij keek om zich heen. De andere jongens knikten.

'Misschien krijgt hij respect voor ons als hij een klap voor z'n dikke kop heeft gekregen,' zei een andere jongen.

'Ik denk het niet,' zei Dubbelbil. Hij bleef zo cool als een pinguïn in een dierentuin. 'Dat zegt mijn vader ook en ik heb nog steeds geen respect voor hem. Dus als je het mij vraagt, zou ik zeggen, verzin iets anders.'

De leider keek hem aan alsof hij gek was geworden. 'Jij bent een vette eikel. Jij moet een lesje leren.'

'Dat klopt. Daarom ga ik nu naar school.'

De vijf jongens deden een stap vooruit en keken hem dreigend aan. Hannes vroeg zich af wat ze moesten doen als de kaalkoppen Dubbel echt zouden slaan. Moesten Donna en hij Dubbelbil dan helpen of was het beter om hard weg te lopen?

Hannes was niet sterk en Donna ook niet.

De grootste jongen had plotseling een mes in zijn hand, een behoorlijk ding. 'Ik denk dat ik dikbillie lek ga prikken,' zei hij.

'Met dat schilmesje?' lachte Dubbel. 'Moet jij thuis nog steeds de aardappelen schillen?'

De jongen met het mes werd nu echt boos en maakte een steekbeweging naar Dubbelbil. Hannes hield zijn adem in.

Dubbel peuterde in zijn neus en bekeek het resultaat. De kaalkop kwam dichterbij en dreigde opnieuw met het mes.

Toen gebeurde er iets dat Hannes nooit zou vergeten. Dubbelbils hand schoot in een flits naar voren en pakte de pols van de aanvaller. De jongen liet het mes vallen en schreeuwde van pijn. Een andere kaalkop wilde het mes oppakken en bukte zich. Dubbelbil pakte met zijn vrije hand de gebukte jongen in zijn kraag en duwde hem met zijn kop keihard tegen de kop van de messentrekker. Plok, hoorde Hannes.

Het was een geluid alsof je twee hardgekookte eieren tegen elkaar tikt. Een Paasgeluid.

In de verte kwam een politieauto aanrijden. De andere kaalkoppen wisten niet wat ze moesten doen. Hun vrienden lagen op de grond en wreven over hun hoofd. Ze keken scheel van de pijn.

De politieauto stopte en één van de agenten stapte uit.

'Problemen?' vroeg ze.

'Die jongen wou hem met een mes steken,' zei Hannes. Hij wees op de messentrekker en op Dubbelbil.

'Zo te zien is dat niet gelukt,' zei de agent. 'Ben jij toevallig Billie van Dieren? Je ziet er namelijk precies zo uit als een jongen die we zoeken.'

Dubbel knikte. 'Ik moest naar de tandarts. Ik ben vergeten om meester te bellen. Stom. Fijn dat u me even met uw auto naar school wil brengen.'

De agent lachte. 'Je gaat maar lopen. Dat is goed voor je. Ik zal je meester bellen dat je er aan komt.'

'Die jongens willen ons niet laten doorlopen,' zei Hannes. 'Als jullie weggaan...'

De andere agent was ook uitgestapt. 'Je had het over een mes,' zei hij tegen Hannes. 'Waar is dat mes?'

Het mes was nergens te zien. Iemand moest het gepakt hebben en weggestopt. 'Nou? Heb je dat mes niet gewoon verzonnen?'

'Echt niet,' zei Donna. 'Ik heb het ook gezien.'

De agent stak drie vingers op. 'Hoeveel vingers steek ik op,' vroeg hij aan Donna.

Donna keek naar zijn hand. 'Twee?'

'Je mag vijf keer raden,' zei de agent. Maar ik denk dat je een bril nodig hebt. Dus dat mes kun jij niet gezien hebben. En toevallig ken ik een paar van deze jongens. Ze zien er wel stoer uit, maar ze doen niemand kwaad. Ik kan me niet voorstellen dat ze iemand met een mes bedreigen.'

De andere agent keek haar collega verbaasd aan. 'Ken jij deze jongens?'

'Ik had het eerst niet door, vanwege zijn nieuwe kapsel, maar die met al die ringen is Boy, een zoon van mijn broer. En die knaap die naast hem zit is zijn vriendje Duco.' Hij keek naar zijn neef die nog steeds op de grond zat en over zijn kale kop wreef.

'Hé Boyo. Heb je eitje tik gespeeld met Duuk?'

Boy en Duco konden er niet om lachen.

'Er was niks aan de hand.' Dubbel glimlachte naar de agenten. 'We hadden een goed gesprek, over respect en zinloos geweld. Ik zei: respect is dat je iemands veter vastmaakt, als hij te oud of te dik is om dat zelf te kunnen. En toen bogen zij zich allebei tegelijk voorover om mijn veter te strikken. Daarbij stootten ze met hun hoofden tegen elkaar. Vette pech.'

'Heb jij een mes gezien?' vroeg de vrouwelijke agent aan hem.

'Een mes? Nee hoor. Ik denk niet dat de ouders van deze jongens het goed vinden, wanneer ze met een mes op zak lopen. Levensgevaarlijk.'

Dubbel legde zijn armen om de schouders van Hannes en Donna.

'Kom op, we moeten naar school. We gaan weer genieten van het basisonderwijs.'

'Je bent gek,' zei Hannes toen de kaalkoppen en de agenten buiten gehoorafstand waren. 'Waarom heb je niet verteld dat die idioot jou met een mes wilde steken.'

'Ik heb het echt gezien,' zei Donna. 'Het was een mes.'

'Ja,' zei Dubbel. 'Maar soms is het beter om niet alles te zeggen wat je hebt gezien.'

'Die kaalkoppen zijn levensgevaarlijk.' Donna moest haar best doen om haar stem gewoon te laten klinken. Ze trilde nog helemaal.

'Ach,' vond Dubbelbil, 'Je moet nooit bang zijn. Als je laat merken dat je bang bent voor je tegenstander, heb je de wedstrijd al half verloren.'

Hannes knikte. Dat zou Coach gezegd kunnen hebben. 'Ik wist niet dat jij zo snel was, man. Toen die jongen je wilde steken, had je zijn pols al te pakken.'

'Oefening. Mijn vader wil altijd het laatste koekje pakken, of de laatste schep ijs. Dan moet ik bliksemsnel zijn om hem voor te zijn.'

'En je bent beresterk,' vond Donna. 'Ik dacht dat je alleen van vet was, maar je hebt ook spieren.'

'Training. Ik moet van mijn moeder zelf naar de winkel om boodschappen te doen. Ze heeft geen zin om die zware tassen te dragen, met alles wat ik opeet. Daar word ik sterk van.'

Donna stak een hand in haar jaszak en liet Dubbel en Hannes het mes van de kaalkop zien.

'Hè. Hoe kom je daar aan?'

'Het leek me verstandiger om het mee te nemen,' lachte Donna.

'Die Boy gaat er niet goed mee om.'

'Wat ga je er mee doen?' vroeg Hannes. 'Je moet het aan de politie laten zien. Als bewijs.'

'Het bewijst niets,' zei Dubbelbil. 'Niemand weet van wie dat mes is geweest en wat er mee is gebeurd. Gooi het gewoon weg.'

Donna zocht een putje en liet het mes in het riool vallen. Daarna liepen ze naar school.

'Ik vraag me af wat die jongens daar kwamen doen,' zei Dubbel.

'Ik heb ze hier nog nooit in de buurt gezien. Het leek of ze op weg waren naar het oude stadion.'

'Zal ik even een verkenningsvlucht maken? Ik ben terug voordat jullie op school zijn.' Donna startte haar motoren en draaide zich om.

'Voorzichtig,' zei Hannes. 'Je mag niet laten zien dat je ze bespioneert.'

Donna keek hem verontwaardigd aan. 'Wat denk je wel?' Ze liet de motoren brullen en vloog terug.

Wat heb ik toch een stel rare vrienden, dacht Hannes. Maar hij was wel trots op ze.

'Ik heb trek,' zei Dubbelbil toen ze langs de Voordeel-markt liepen.

Hij ging naar binnen. Hannes klom op het hekje en wachtte tot hij terug zou komen. Voor de honderdste keer dacht hij aan de eerste training, morgen in het sta-dion. Zouden alle jongens komen? Waren de schoenen en de shirts er? En hoe zat het met Coach? Als die maar niet dronken was. Nou ja, oma Eefje lette op. Hij be-greep nog steeds niet waarom ze met Coach moest trou-wen. Je kon toch ook op iemand letten zonder getrouwd te zijn.

Toen Dubbel eindelijk terugkwam uit de Voordeel-markt, kwam Donna net teruggevlogen.

'De kaalkoppen lopen rond het oude stadion,' vertelde ze hijgend. 'En ze keken door het raam van het huisje van Coach.'

'Dat ziet er niet best uit,' vond Dubbelbil.

'Wat bedoel je?' vroeg Hannes. 'Wat ziet er niet best uit?'

'Ze zijn iets van plan. En dat kan maar één ding beteke-nen: mijn vader speelt een smerig spelletje. Die uitge-kookte sperzieboon is iets van plan. Als hij iets wil, doet hij alles om zijn zin te krijgen. Misschien heeft hij aan de kaalkoppen gevraagd om een vuile streek uit te halen. Ze moeten Coach uit zijn huisje pesten of zo. Typisch iets voor mijn vader. Hij heeft al heel wat ouwe mensen uit hun huis gepest. Als ze weg zijn breekt hij de huizen af en zet er kantoren neer. Dat noemt hij projectontwikkeling.'

'Waarom gaan die ouwe mensen niet naar de politie?' vroeg Donna.

'Ouwe mensen zijn bang. Ze zijn zelfs bang om de politie te bellen. Want dan gooien die kaalkoppen misschien hun ruiten in.'

'Toen die jongens voor ons stonden, pieste ik bijna in mijn broek,' bekende Hannes. 'Waarom ben jij nooit bang, Dubbel?'

'Dat heb ik van mijn vader. Die is ook nooit bang. Hij was vroeger de leider van Vak P. Dat waren supporters van Sportclub die overal mee naar toe gingen en voor niemand bang waren. Mijn vader was de eerste Nederlandse hooligan, beweert hij.'

Hannes keek hem vragend aan.

'Hooligans vinden het leuker om te vechten met de supporters van de tegenstanders dan om naar de wedstrijd te kijken. Mijn vader is helemaal geen voetballiefhebber. Hij kan er ook geen bal van.'

'En daarom wil hij nu het stadion afbreken en er kantoren bouwen?' vroeg Donna. 'Als het echt waar is wat je zegt, moeten we als de bliksem iets verzinnen. Misschien steken die kaalkoppen de tribunes in brand. Het zijn bijna allemaal houten tribunes.'

'Waar zijn Coach en oma?' vroeg Hannes. 'Als er niemand in het stadion is, kan er van alles mis gaan.'

'Ik moet rustig nadenken. Laten we naar school gaan. Ik wil even niets aan mijn kop hebben.' Dubbel kon op school nadenken omdat hij in de klas niet mocht eten. Eten en nadenken gingen niet samen bij hem.

10. Meenemen met de hak

Oma Eefje en Coach waren vroeg van huis gegaan omdat ze nog honderd dingen moesten doen. Toen Coach de lijst zag die oma had gemaakt, zuchtte hij. 'Weet je zeker dat we dat allemaal nodig hebben? En wat zijn guirlandes? Ik weet niet eens hoe ik het moet uitspreken.'

'Slingers van groene takken en bloemen,' zei Oma. 'Ik wil het huis een beetje versieren.'

Coach bromde. Oma had hem uitgelegd waarom het belangrijk was dat ze met hem moest trouwen. Maar ze had er niet bij verteld dat ze het huis wilde versieren. En dat ze een deftig pak voor hem ging kopen en een mooie jurk voor zichzelf. Hij had zijn hele leven nog nooit een pak gehad. En hij ging beslist geen das om zijn nek doen.

Echt niet. Hij ging nog liever dood. Nou ja, bij wijze van spreken. Dat was ook zoiets.

Een paar weken geleden, voordat hij Hannes had ontmoet en oma Eefje nog niet kende, kon het hem niet schelen om dood te gaan.

Maar nu wilde hij nog een tijdje blijven leven. In ieder geval totdat het plan van oma Eefje was uitgevoerd...

Het liefst wilde hij dat die stomme bruiloft voorbij was. Hij wilde met Hannes en zijn vrienden op het veld staan en trainen.

Er waren een paar jongens bij die talent hadden, dat had hij al gezien. Driss en Bouki, dat waren echte voetballers. Hoe ver ze het zouden schoppen wist hij niet. Dat hing van een heleboel dingen af. Hadden ze zin om elke dag te trainen? Nu nog wel, maar wat gebeurde er als ze een paar jaar ouder waren? Heel veel jongens hielden op met voetballen, omdat ze het niet meer cool vonden.

Of omdat ze te lui waren. Of omdat ze liever achter hun computer zaten, of voor de televisie. Of omdat er geen voetbalveld in de buurt was. Maar meestal omdat ze liever achter de meiden aanzaten.

Hannes was een doorzetter, maar eerlijk gezegd geloofde Coach niet dat Hannes genoeg talent had om voetballer te worden. Het zou moeilijk worden om dat tegen hem te zeggen.

Oma had een grote taxi besteld voor de hele dag. Toe maar, dacht Coach. Het wordt steeds gekker. Een auto met chauffeur. Hij hoopte niet dat zijn oude vrienden uit café De Sport hem zouden zien in die luxe wagen.

Gelukkig was het nog vroeg toen ze naar de stad reden.

Oma ging eerst naar een banketbakkerij, waar ze taarten uitzocht.

Vier taarten! Twee voor Dubbelbil en twee voor de andere jongens en Donna. Misschien prikte de burgemeester ook een vorkje mee. De burgemeester zag er uit als iemand die wel taart lustte, vond oma.

Daarna gingen ze naar een grote sportzaak. Oma had Coach gevraagd welke kleur de shirts, de broeken en de kousen moesten hebben.

De kousen zwart, de broekjes wit en de shirts ook zwart. Op de shirts stond aan de voorkant een grote witte V. En achterop stonden witte rugnummers. Dezelfde shirts die Sportclub vroeger droeg. Zonder reclame voor leverworst, zonder de namen van de spelers. Geen flauwekul.

Zo'n boodschap kon je aan Oma overlaten. Het zag er prachtig uit, vond Coach, toen hij de spullen zag. Ook de strakke trainingspakken. En een net vol nieuwe ballen.

De schoenen, de kleren en de ballen werden door de chauffeur in de taxi geladen. Daarna reden ze verder. Naar de bloemenwinkel, naar de dameskapper, naar de herenkapper. Naar een damesmodezaak en naar een herenmodezaak. En tenslotte naar de Voordeelmarkt. Sjantal, de kassajuffrouw, liet van verbazing de kauwgom uit haar mond vallen toen ze Coach zag. 'Bent u... bent u niet... die oude meneer die hier altijd...?'

'Dat is mijn rijke broer,' zei Coach. 'We gaan bij hem op bezoek. Ik heb hem in geen jaren gezien. Ik hoop wel dat hij bier lust.'

'Ken jij de rijke tweelingbroer van mijn man?' vroeg oma aan Sjantal. 'Ik heb gehoord dat het een vieze ouwe stinkerd is geworden.'

'Ja,' zei Sjantal, 'hij is wel een beetje vies, en hij stinkt ook.'

'Zie je nou,' zei oma tegen Coach, 'ik heb het toch tegen je gezegd.

Je moet je beter wassen. Het is niet prettig om in de rij bij de kassa te staan achter een oude stinkerd.'

Sjantal begreep er niks van. Was die vieze man een rijke stinkerd en deze nette meneer zijn keurige tweelingbroer? Je kon tegenwoordig niets meer geloven. Als die vieze oude man zo rijk was, moest ze misschien wat beleefder tegen hem doen. Toch?

Oma en Coach gingen met de taxi terug naar het stadion. Op de vensterbank voor het huisje zat Dubbelbil.

'Dat werd tijd. Waar waren jullie? Ik zit al drie kwartier te wachten. Ik rammel van de honger.'

'Het keeperspak.' Oma sloeg een hand voor haar mond. 'We zijn het pak voor Billie vergeten.'

'Dat wilde ik jullie vanmorgen komen vertellen. Ik heb bedacht dat ik niet op doel wil. Ik heb een hekel aan staan en ik kan geen chips eten als ik handschoenen aan heb. Maar jullie waren al weg.'

'Wie moet er dan op doel?' vroeg Coach.

'Donna,' zeiden Dubbel en oma tegelijk.

Ze gingen naar binnen en Dubbelbil vertelde wat er vandaag gebeurd was. Dat de kaalkoppen rond het stadion liepen en door het raam naar binnen hadden gekeken.

'Toon,' zei oma. 'Mijn schoonzoon heeft zijn lesje nog steeds niet geleerd. Hij laat die kaalkoppies het vuile werk opknappen. Zover laten we het niet komen, daar ga ik persoonlijk een stokje voor steken.'

'Mag ik een flesje bier?' vroeg Coach. We zijn nog niet eens getrouwd, dacht hij. En nu moet ik al vragen of ik bier mag drinken.

'Tuurlijk.' Oma's gezicht straalde van oor tot oor.

'Je hebt weer een plan oma,' zei Dubbelbil. 'Mag ik meedoen?'

Toen Hannes thuiskwam uit school zat zijn moeder op de bank. De televisie stond aan zonder geluid. Dat was vreemd. Meestal liep ze rond te rennen met haar keukenhandschoenen aan en riep ze naar Hannes dat hij zijn schoenen uit moest trekken en zijn handen moest wassen. Nu zat ze op de bank en staarde voor zich uit.

Hannes wist niet wat hij moest zeggen. Hij wilde vragen wat er aan de hand was, maar het leek of zijn moeder niet zag dat hij in de kamer stond. 'Hallo mama.'

Ze keek hem verbaasd aan, alsof ze hem voor het eerst zag.

'Hallo,' zei ze.

'Zal ik mijn handen wassen?'

'Papa is weggelopen. Hij heeft geen zin om elke dag drie keer onder de douche te staan en om zittend te plassen.'

Hannes knikte.

'Ik denk dat jullie mij een beetje raar vinden?'

'Ach,' zei Hannes. 'Ik weet niet.'

Hannes kende niet zoveel moeders. De moeder van Dubbel was wel dik, maar niet raar. Het enige wat raar aan haar was, was dat ze getrouwd was met de vader van Dubbelbil. En de moeder van Donna was ook niet zo raar. De vader van Donna had hij nog nooit gezien. Die man vloog de hele wereld rond. Misschien was dat wel raar.

Hannes wist het niet, eerlijk gezegd. Wat moest hij ervan denken dat zijn vader was weggelopen? Mama liep ook wel eens weg. En dan kwam ze tien minuten later weer terug. Omdat ze geen geld had of omdat ze vergeten was de wc schoon te maken.

Misschien bleef zijn vader langer weg. Papa had wel geld.

Hannes wilde gewone ouders. Geen rare vader en moeder.

'Weet je, Johannes, ik denk dat papa weggelopen is omdat ik het huis niet mooi schoon houd. Papa houdt ervan dat alles schoon is. Ik doe heel erg mijn best. Maar telkens als ik het huis helemaal schoon heb, komt er iemand binnen en wordt er weer iets vies.'

'Papa vindt dat je alles heel goed schoon maakt.' Zijn moeder was gek. Hoe kon ze nou zeggen dat ze niet goed schoonmaakte, ze deed de hele dag niets anders?

'Misschien heeft hij een vriendin die beter schoonmaakt dan ik.'

Hannes kon zich niet voorstellen dat zijn vader een vriendin had. Hij was het gewoon zat dat mama de hele dag keukenhandschoenen droeg. En dat hij moest zitten bij het plassen.

Hij wilde weg. Hij wilde niet alleen met zijn moeder zijn en wachten tot zijn vader terugkwam. 'Ik ga bij Donna eten. We moeten oefenen voor het schoolcabaret.'

Ze hadden afgesproken dat ze vanavond de wacht zouden houden bij het oude stadion. Als de kaalkoppen of de vader van Dubbelbil iets van plan waren, moesten ze zorgen dat er alarm werd geslagen.

'Papa komt heus wel weer terug,' zei hij tegen zijn moeder. 'Ik geloof niet dat hij een vriendin heeft die beter kan schoonmaken dan jij. Hij vindt het niet leuk dat je de hele dag schoonmaakt. Vroeger deed je allerlei andere dingen, tegenwoordig maak je alleen maar schoon. Ik denk dat papa daarom is weggegaan.'

Zijn moeder zei niets. Ze staarde naar de stille beelden op de televisie. Hannes maakte van de gelegenheid gebruik om het huis uit te gaan. Hij had al genoeg problemen aan zijn hoofd. Zijn vader kwam wel weer terug.

Donna woonde drie straten verderop. Tien minuten lopen. Hannes had de weg naar het huis van Donna zo vaak gelopen dat hij het met zijn ogen dicht zou kunnen. Dat had hij trouwens één keer geprobeerd, maar toen was hij gestruikeld over een kinderfietsje, dat op de stoep lag.

Hij schopte tegen een steentje. Als het steentje de lantarenpaal raakte...

Hij deed een wens die hij altijd deed. Het steentje vloog een meter naast de paal. Hij probeerde het nog een keer.

Hij vond dat je drie keer mocht schoppen. De tweede keer vloog het steentje nog verder langs de lantarenpaal. Daarom legde hij het stomme steentje voor zijn derde poging op één meter van de paal. Toen was het gelukkig raak. Hij haalde opgelucht adem.

Misschien had hij moeten wensen dat zijn vader terug zou komen. Maar daar had hij niet aan gedacht. Hij kon zich gewoon niet voorstellen dat zijn vader wegbleef.

Hij kwam langs een winkel waar ze dvd-spelers, computers en platte televisies verkochten. Op een groot scherm in de winkel werd een voetbalwedstrijd gespeeld. Hij bleef staan kijken naar de beelden en zag twee spelers omhoog springen naar de bal. Ze raakten de bal niet maar knalden met hun hoofden tegen elkaar.

Hannes dacht aan het geluid van de twee kaalkoppen die Dubbelbil vanochtend tegen elkaar had geslagen. Plok.

De spelers lagen bloedend op de grond. Het zag er lelijk uit. Vooral omdat het zo'n groot scherm was. Het leek net echt.

Hannes kopte alleen tegen een bal als er niemand in de buurt was. Hij hield niet van koppen. Hij zou aan Coach vragen of het echt nodig was om te kunnen koppen als je voetballer wilde worden.

Hij liep verder en zag aan de overkant van de straat een van de kaalkoppen. De jongen had hem niet gezien. Hij liep met zijn hoofd gebogen, alsof hij iets op straat zocht. Het was de jongste kaalkop, hij had vanochtend niks gezegd. Voor de kleine supermarkt van meneer en mevrouw Lim hield hij halt en haalde een muts uit zijn jaszak die hij op zijn kale hoofd zette. Toen ging hij de winkel in.

Hannes wachtte even, stak de straat over en ging ook de winkel binnen. De jongen stond achterin waar mevrouw Lim het brood sneed en de vleeswaren. Hannes kwam er vaak om boterhamworst of een half bruin te kopen. Hij ging achter de stapels wc-rollen en luiers staan, zodat de jongen hem niet kon zien.

De jongen vroeg aan mevrouw Lim waar de spiritus stond.

'Spielietus?' Mevrouw Lim wees in de richting van Hannes. 'Onde houtskool.'

De jongen liep zijn kant op, Hannes maakte dat hij wegkwam.

'Hallo knullebol,' zei mevrouw Lim. 'Halfje bluin?'

Hannes schudde zijn hoofd. 'Ik heb niets nodig. Ik wilde even in de Voetbal International kijken.'

Hij zag dat de jongen drie flessen spiritus had gekocht en een paar pakken lucifers. Hij stond af te rekenen bij meneer Lim.

'Is je vader glazenwasser?' vroeg meneer Lim.

De kaalkop keek hem verbaasd aan.

'Als je spiritus bij het water doet krijg je geen strepen op het vensterglas.'

'Het is voor mijn moeder,' zei de jongen. Hij had een merkwaardige hoge stem, een meisjesstem leek het.

Hannes werd naar de kassa geduwd door een dikke mevrouw met een grote boodschappenmand. Daardoor stond hij opeens oog in de oog met de kaalkop. De jongen keek hem aan alsof hij Hannes nog nooit gezien had.

'Hé,' zei Hannes.

'Moet ik jou kennen?' De jongen stopte de spiritus en de lucifers in een plastic zak en liep de winkel uit.

Hannes liep achter hem aan. 'Jij was er vanmorgen bij, toen die Boy mijn vriend wilde steken met een mes.'

'Je lult man,' zei de jongen. 'Donder op, stom klein eikeltje.'

'Die kale vriendjes van je zullen nog wel hoofdpijn hebben?' Hij bleef de jongen volgen.

'Als je niet opflikkert, komen mijn vrienden jou heel veel hoofdpijn bezorgen.'

'Oh ja? Durf jij alleen stoer te doen als je met je vriendjes bent?'

De jongen begon harder te lopen, maar zijn schoenen waren te groot en te zwaar om echt hard te kunnen lopen. Zijn veters hingen los. Hannes kon hem makkelijk bijhouden.

'Jij woont hier niet in buurt. Ik heb je hier nog nooit gezien. Waarom koop je spiritus? Ga je met je vrienden ergens een fikkie steken?'

De jongen keek zenuwachtig om zich heen. Hij wist niet hoe hij Hannes kwijt moest raken. En hij wist de weg niet in dit gedeelte van de stad.

'Ben je de weg kwijt?' vroeg Hannes vriendelijk. 'Waar moet je naar toe?' Ze waren in de straat waar Donna woonde.

'Ik ben de weg niet kwijt. Ik wil jou kwijt. Waarom loop je achter me aan?' Hij klonk veel minder stoer dan zojuist.

'Ik loop niet achter je aan, ik moet toevallig hier zijn.'

Hij zag dat Donna haar huis uit kwam vliegen. Ze zag hem natuurlijk niet, daarom riep hij haar. Donna maakte een mooie bocht en vloog bijna tegen de kaalkop.

'Kun je niet uitkijken waar je loopt, trut.'

'Ik vlieg. En jij bent een vijandelijk toestel. Wat doe je hier?'

'Hij is verdwaald,' zei Hannes. 'Het is één van die kaal...jongens die we vanmorgen zijn tegengekomen. Hij heeft drie flessen spiritus gekocht en lucifers bij meneer Lim. Voor zijn moeder.'

De jongen liep door, maar Donna bleef om hem heen cirkelen.

'Laat hem maar lopen. Anders wordt zijn moeder boos.'

'Ik heet Donna,' zei Donna tegen de jongen. 'En dat is Hannes.

We gaan in het oude stadion trainen. Wat moesten jullie daar vanmorgen?'

De jongen stond stil en keek haar aan. 'Hoe weet je...'

'Er blijft niets verborgen voor ons. Vertel maar wat jullie van plan zijn, Freddy. Zo heet je toch. Fredje of Freddy?'

'Ik heb er niks mee te maken,' zei de jongen die volgens Donna Fredje of Freddy heette.

'Waar heb je niks mee te maken?' vroeg Hannes.

'Dat zeg ik niet.'

'Hij heeft niet alleen geen haar, hij heeft ook geen hersens,' zei Donna tegen Hannes. 'En je veters hangen los, zo kun je niet lopen, man. Ze bukte zich en begon overdreven zorgvuldig aan de veters te prutsen.

'Blijf van me af, stom wijf.'

'Als hij hersens zou hebben, zou hij de weg naar huis wel weten,' vond Hannes. 'Jullie willen iets in de fik steken, daarom koop je drie flessen spiritus tegelijk.'

'Ik steek niks in de fik.' Freddy schreeuwde het uit. 'Het is voor mijn moeder. Ik weet niet waar ze het voor nodig heeft.'

Ze stonden voor het huis waar Donna woonde. 'Ga je even mee naar binnen,' vroeg Donna aan Freddy. 'Dan bel ik je moeder op om te zeggen dat je de weg kwijt bent en of ze je komt ophalen.

Misschien heeft ze de spiritus heel hard nodig.'

Freddy wilde weglopen, maar hij kon opeens zijn voeten niet verzetten. Hij struikelde en viel bijna op zijn ge-

zicht. Om zijn val te breken moest hij de plastic tas losla-
ten. Hannes keek naar de schoenen van Freddy en zag
dat Donna de veters van zijn linker- en rechterschoen
aan elkaar geknoopt had.

Donna zwaaide vrolijk met de zak vol spiritus en lucifers.

'Geef terug,' riep Freddy. Hij probeerde de knoop uit
zijn veters te krijgen, maar dat was niet zo makkelijk.
Van de zenuwen trok hij de knoop steeds strakker. Hannes kreeg bijna medelijden met hem.

'Heb je een schaar nodig,' vroeg Donna vriendelijk.
'Mijn moeder heeft wel een schaar. Als jij zegt waar je de
spiritus voor nodig hebt, knip ik de knoop door.'

'Voor mijn moeder,' antwoordde Freddy. Er zat geen
beweging in de veters.

'We hebben alle tijd.'

Freddy kronkelde als een paling over de stoep. Hij probeerde zijn veters op de stoeprand kapot te slijpen.

'Hé Freddy, je hebt je mobieltje verloren,' zag Hannes.
Hij raapte het telefoontje op. 'Misschien staat het nummer van je moeder in je lijst.'

'Blijf van mijn telefoon af,' gilde Freddy. Hij probeerde
op te staan maar dat lukte niet.

'Hier heb ik het al,' zei Hannes. '"Thuis". Zal ik even
voor je bellen, dan kun jij verder met je veters.' Hij drukte
op een knopje.

'Wacht, wacht, niet bellen.' Freddy raakte nu echt in
paniek. 'Ik zal jullie vertellen waarom ik de spiritus heb
gekocht.'

'Dat zal tijd worden,' vond Donna. 'Ik moet over een
paar minuten warm eten.'

'Mag ik bij jou eten?' vroeg Hannes. 'Mijn moeder
kookt vandaag niet.'

'Er kwam een man in ons clubhuis. Hij vroeg of we iets voor hem konden doen. Hij gaf honderd euro aan Boy. Als we het hadden gedaan kregen we nog eens honderd euro.'

'Zit jij op een voetbalclub?' vroeg Hannes.

'Nee, man, de supportersclub. Zwart op Wit. We hebben een clubhuis onder het nieuwe stadion.'

'Hoe zag die man er uit?' wilde Donna weten. 'Was hij lang en dun?'

'Eh... ja. Ik geloof 't wel.'

'Was hij alleen of had hij een kleine dikke bij zich?'

'Ja, er was ook een kleine dikke. Maar die dunne was de baas. Kennen jullie die man?'

Hannes knikte. Donna schudde haar hoofd. 'Nee. Wat moesten jullie voor hem doen?'

'Dat mag ik niet vertellen. Als ik dat vertel word ik uit de club gegooid.'

'Tja,' zei Donna, 'dan zullen we toch je moeder moeten bellen.

En misschien ook een paar andere nummers die in je lijst staan.'

'Wat is er zo leuk aan een supportersclub?' vroeg Hannes. 'Wil je niet liever zelf voetballen?'

Freddy haalde zijn schouders op.

'Je kunt natuurlijk niet voetballen, daarom ben je bij de kaalkoppen gegaan.'

'Echt wel, daar ging het helemaal niet om.'

'Waarom dan?'

'Het zijn best aardige jongens. Behalve Boy. Als Boy kwaad is, kun je beter een goeie schuilplaats zoeken. Die dikke vriend van jullie moet maar een tijdje van de straat blijven. Boy zoekt hem.'

'Ik heb hier het nummer van Boy,' zei Hannes. 'Misschien moet jij ook een goeie schuilplaats zoeken. Ik ga hem bellen en zeggen dat jij ons hebt verteld dat jullie het oude stadion in brand willen steken.'

Freddy keek hem aan met grote angstogen. 'Nee. Dat is helemaal niet waar. We moesten van die lange dunne alleen een oude zwerver bang maken. Een vieze dronkaard die in het huisje bij het oude stadion woont. Die man moet weg, zodat er mooie kantoren kunnen worden gebouwd.'

'Het is geen vie...' Hannes werd onderbroken door de telefoon van Freddy. 'Je wordt gebeld door je vriendje Boy,' zag Hannes. 'Wat moet ik tegen hem zeggen?'

'Geef hier, geef die telefoon hier,' smeekte Freddy.

Hannes gaf hem zijn mobieltje.

'Ja,' zei Freddy. 'Nee. Ik ben er over een half uur. Ja.'

Hij keek Hannes en Donna aan. 'Jullie moeten me helpen. Als ik over een half uur niet in het clubhuis ben, krijg ik van Boy op mijn donder. Ik had er nu al moeten zijn.'

'Oké,' zei Donna, 'ik zal een schaar halen om je veters los te knippen.' Ze ging naar binnen.

'Dus je kunt wel voetballen?' vroeg Hannes.

'Ik kan heel goed voetballen,' antwoordde Freddy. 'Ik zat in het schoolelftal. We zijn kampioen geworden op het paastoernooi.'

'Cool. Misschien heb je zin om mee te doen met ons elftal. We beginnen morgen met de training. In het oude stadion. Die vieze oude zwerver die jullie bang moeten maken is Coach, onze trainer. Hij heeft vroeger bij Sportclub gespeeld.'

'Echt niet,' zei Freddy.

'Echt wel,' zei Hannes. 'Kom morgen maar kijken, als je me niet gelooft.'

Freddy keek hem verbaasd aan.

'Of mag dat niet van Boy?' vroeg Hannes.

Donna kwam het huis uit met een grote schaar en de zak met spiritus. Ze knipte de veters door en gaf Freddy de zak terug.

Hannes keek haar verbaasd aan. 'Is dat wel verstandig? Je hebt toch gehoord wat die jongens van plan zijn?'

'Freddy moet geen problemen krijgen met Boy,' vond Donna. 'Nu we weten wat ze van plan zijn kunnen we maatregelen nemen. Wat vind jij Fred?'

'Ik weet niet. Als Boy kwaad is...' Hij stond op en liep een paar passen. Zijn grote schoenen zaten zo ruim om zijn voeten dat hij moest sloffen om weg te kunnen komen. 'Bedankt hè.'

'Weet je hoe je moet lopen?' vroeg Donna. Ze legde hem vriendelijk uit hoe hij zo snel mogelijk bij het nieuwe stadion kon komen.

'Je had hem die spiritus niet moeten geven,' zei Hannes toen Freddy de hoek om was. 'Ik vind het geen prettig idee.'

Donna lachte. 'Maak je niet druk. Ik heb die spiritus weggegooid en water in de flessen gedaan.'

Hannes keek haar vol bewondering aan. 'Maar ben je niet bang dat die Boy nog kwader wordt als hij merkt dat Freddy hem heeft belazerd?'

'We moeten Freddy helpen. Ik denk dat hij het helemaal niet leuk vindt om bij de kaalkoppen te horen.'

'Hij wil zelf voetballen. Ik heb gezegd dat hij morgenmiddag moet komen als we gaan trainen met Coach.'

Donna knikte. 'We moeten meer weten van Boy. Boy is gevaarlijk.

Als we Boy kunnen uitschakelen...'

'Zijn oom is politieagent. Hij heet Wessels. Dat stond

op zijn borst. Dus als Boy de zoon van zijn broer is, heet hij ook Wessels.'

'We gaan hem even googelen. We moeten toch eten. Eet je mee?'

'Ja,' zei Hannes. 'Mijn moeder is depri. Ze ligt op de bank. Mijn vader is weggelopen.'

'Zeker omdat je moeder de hele dag schoonmaakt?'

Hannes knikte. 'Wat eten jullie?'

'Wat zit er in die emmer?' wilde Donna's moeder weten. Ze had in haar ene hand de telefoon en in haar andere hand een lucifer om het gas aan te steken. 'Het ruikt ouderwets. Naar iets wat oma vroeger gebruikte.'

'Spiritus. Ik wist niet of je dat gewoon door de wc mag gooien.'

'Spiritus?! Ben je raar! Hier? In een emmer? Dat is levensgevaarlijk. Weet je wel hoe brandbaar dat is?' Ze gooide de lucifer in de gootsteen en zette de kraan aan. 'Donna! Ik had het hele huis in de hens kunnen steken.'

'Ja,' zei Donna. 'Je moet niet telefoneren als je kookt, daar komen ongelukken van, dat heb ik al zo vaak tegen je gezegd.'

'Waar komt die spiritus vandaan? Je moet het door de wc gooien.'

Haar moeder bedacht opeens dat ze iemand aan de telefoon had. 'Weet jij dat toevallig? Of je een emmer spiritus door de plee mag spoelen?'

Het bleek geen kwaad te kunnen. Alleen de ratten in de riolen konden er dronken van worden. Vanwege de alcohol in de spiritus.

Terwijl Donna's moeder verder ging met bellen en koken, gooide Hannes de emmer spiritus door de wc en spoelde drie keer goed door. Daarna ging hij naast Donna voor de computer zitten. Donna had een bril opgezet. 'Ik heb zeven Wessels gevonden.'

'Hoe weet je welke de goeie is?'

'Bellen.' In tegenstelling tot Hannes hadden Donna en Dubbelbil allebei een mobieltje. Donna's moeder belde thuis zo vaak, dat Donna zonder eigen telefoon nooit bereikbaar was.

Na vier telefoontjes had ze Boy opgespoord. Hij woonde aan de andere kant van de stad, op de Amerikalaan, in een van die hoge flats. In de buurt van het nieuwe stadion.

'Wat nu?' vroeg Hannes.

'Eten,' zei Donna.

'Eten,' zei Dubbelbil. 'Ik sterf van de honger. Ik had gehoopt dat je weer pannenkoeken ging bakken.'

'Daar heb ik geen tijd voor,' zei oma Eefje. 'Ik ga morgen trouwen, weet je nog wel? De burgemeester komt en ik wil het huis versieren.'

Dubbelbil vond het maar een hoop flauwekul. Wanneer je zo oud was als Coach en oma ging je toch niet meer trouwen? Als je zo nodig bij elkaar in bed wilde liggen, hoefde je van niemand toestemming te hebben. Toch?

Oma zou er wel weer een bedoeling mee hebben.

Hij moest snel een stevige maaltijd eten, anders werd hij somber. Hij dacht aan de kaalkop met de ringen in zijn oor. Boy. Die knaap zou behoorlijk kwaad zijn. Niet dat Dubbelbil zich daar ongerust over maakte. Hij maakte zich nergens druk over. Dubbelbil was supercool.

Hannes maakte zich overal druk over. Hannes was beslist niet cool. Het was ook geen pretje om een moeder te hebben die de hele dag keukenhandschoenen droeg. Dat mens kwam al met een doekje aanhollen om de deurkruk af te vegen als er iemand de kamer binnenkwam. Dan ben je toch niet goed bij je hoofd?

'Heb jij zin om patat te halen met kroketten?' vroeg oma.

'Als het niet te ver is, anders wordt de patat koud en dan is-ie niet meer te eten. Kunnen we geen pizza's bestellen?'

'Ik heb ook wel trek in een pizza,' bromde Coach.

Dubbelbil bestelde vier pizza's bij Piet's Pizza's en vroeg aan Piet of hij een beetje kon opschieten.

Daarna werd hij gebeld door Donna. Donna vertelde wat Boy en de kaalkoppen van plan waren en ook dat ze de spiritus voor water had verwisseld.

Toen Dubbelbil dat aan oma Eefje vertelde werd ze echt boos.

'Is die schoonzoon van mij nou helemaal gek geworden. Dat zijn geen grappen meer, dat is levensgevaarlijk. Je zult maar in je bed liggen en opeens begint het huis aan alle kanten te fikken!'

Coach knikte. Als hij nog alleen was geweest had het hem niet kunnen schelen. Het was wel een mooie dood om samen met het oude stadion in vlammen op te gaan. Maar nu had hij een verantwoordelijkheid tegenover de jongens en Eefje. 'We moeten de politie bellen.'

Eefje schudde haar hoofd. 'Ik denk niet dat dat veel helpt. Als die jongens geen spiritus maar water rondstrooien, kun je ze niet veel maken.' Oma Eefje had geen hoge pet op van de politie. Ze had teveel parkeerbonnen gekregen in haar leven.

Ze vroeg zich af waarmee ze een stelletje kaalkoppen bang kon maken. Ze herinnerde zich een televisieserie van vroeger.

The A-team. Als er ergens een probleem was kwam

het A-team in actie onder leiding van Hannibal Smith, die altijd een sigaar in zijn mond had. In een oogwenk knutselden de leden van het team iets in elkaar om de tegenstander voorgoed af te schrikken.

Wat kon je in een oud stadion vinden om een stel jongens aan het schrikken te maken? Oude ballen, kalk om strakke lijnen te trekken, een maaimachine.

'Er ligt nog een partij vuurwerk,' herinnerde Coach zich. 'Overgebleven van een verregende koninginnedag. Is minstens 20 jaar oud, maar heeft wel altijd droog gelegen. Hebben we daar iets aan?'

Het was negen uur en pikdonker. Vijf jongens slopen in de richting van het oude stadion. Nou ja, sluipen. Ze hadden allemaal dezelfde grote schoenen aan, waarmee je niet echt kon sluipen. Een van de jongens kon zijn voeten zelfs niet optillen, omdat hij dan zijn schoenen verloor. Hij slofte een paar meter achter de anderen aan.

Het was Freddy. Hij had van Boy op zijn donder gekregen omdat hij zolang was weggebleven. En eerlijk gezegd had hij helemaal geen zin om die oude man aan het schrikken te maken. Als het echt een voetbalcoach was... en als het waar was wat dat jongetje had gezegd? Dat ze morgen gingen trainen in het stadion. En dat hij mee mocht doen? Als hij nu zou zeggen dat hij niet mee wilde doen aan het pesten van die ouwe man, zou hij zijn kale vrienden in de steek laten en dat zouden ze hem heel erg kwalijk nemen.

De gebruikelijke straf voor verraad was uitsluiting. Je kwam het clubhuis niet meer in. Je kwam zelfs het stadion niet meer in. En hij had gehoord dat iemand die verraad had gepleegd, voor straf over de boog van de Hoge Brug moest lopen. De Hoge Brug was een voetgangersbrug over de rivier. De boog van de brug had een lengte van 150 meter en was op het hoogste punt bijna twintig meter hoog. Er waren heel weinig jongens die over de boog durfden te klimmen. Alleen Boy scheen het te durven. Freddy moest er niet aan denken dat hij over die brug moest lopen. Hij had al hoogtevrees op een keukentrap.

Ze waren bijna bij het stadion. Boy hield halt. Het stadion lag als een grote zwarte bak afgetekend tegen de donkere lucht. Het was stil. De jongens keken naar Boy. Boy keek naar het stadion.

'Oké,' zei Boy. 'We gaan spiritusbommen maken.'

Uit het clubhuis hadden ze allemaal een paar lege cola- en breezerflesjes meegenomen. En wat oude kranten. Boy deed voor hoe je van een krant een trechter moest maken. Door de trechter kon je spiritus in het flesje gooien. Je stak de trechter aan met een lucifer en daarna gooide je het flesje weg. Als het flesje uit elkaar spatte, vloog de brandende spiritus in het rond. Boy lachte.

'Weg huisje. Met een beetje geluk komt die vieze ouwe zwerver in zijn ondergoed de straat op.'

Freddy wilde iets zeggen, maar hij durfde niet.

'We maken de brandbommen hier,' zei Boy, 'en dan lopen we naar het huisje en gooien de flesjes door de ramen.'

Bij het licht van twee zaklantaarns gooiden de jongens de spiritus in de flesjes.

'Het ruikt helemaal niet naar spiritus,' vond Duco.

'Weet jij soms hoe spiritus ruikt?' vroeg Boy.

Duco haalde zijn schouders op. Zijn moeder gebruikte

spiritus als ze de ramen lapte. Die spiritus rook heel anders dan deze. Eigenlijk rook deze spiritus bijna niet.

Toen iedereen zijn flesjes had gevuld, gaf Boy het sein om naar het huisje van Coach te gaan. Hij deelde de pakjes lucifers rond.

'We verspreiden ons in een halve cirkel rond het huisje. Op mijn teken steken we allemaal tegelijk de kranten in de flesjes aan. Op mijn tweede teken gooien we de flesjes door de ramen.

Freddy had van de zenuwen nauwelijks spiritus in zijn flesjes kunnen krijgen. Hij slofte achter de anderen aan en hoopte dat de ouwe man niet thuis was. Hij wilde helemaal geen flesje door de ruit gooien. Het was een gemene streek. Hij bleef steeds verder achter de anderen hangen. Hij wilde morgen in het stadion voetballen. Als hij meedeed met het in brand steken van het huisje van de trainer, mocht hij natuurlijk niet meedoen. En als het verkeerd afliep kon die ouwe man helemaal niet meer trainen.

Freddy stond stil. Opeens wist hij het zeker. Hij wilde niet meer bij Boy en zijn vrienden horen. Hij wilde voetballen. Hij draaide zich om en liep de andere kant op. 'Freddy,' hoorde hij iemand achter zich sissen. Om sneller te kunnen lopen trok hij zijn schoenen uit en holde terug, weg van het stadion. Toen hij op een veilige afstand was gooide hij de flesjes met de kranten in een bosje en bedacht dat hij de brandweer moest waarschuwen. Als die oude man in bed lag en sliep... en zijn huis brandde opeens af?

Boy had nog één keer omgekeken naar Freddy. Lafaard. Verrader.

Later zouden ze met die lul afrekenen. Eerst moesten

ze die ouwe stinkerd uit zijn huisje krijgen. Die tweehonderd euro waren makkelijk verdiend. Boy had altijd geld nodig om mee te kunnen naar uitwedstrijden van Sportclub. Hij was veertien, bijna vijftien.

Hij mocht nog niet werken. Daarom had hij nooit geld. Hij had al een paar keer geld gejat van zijn moeder. Dat begon op te vallen.

Dus kwam het mooi uit dat die lange dunne man zoveel geld wilde betalen voor dit geintje. Lachen toch?

Hij gaf het teken met zijn zaklantaarn. De jongens verspreidden zich in een halve cirkel rond het huisje. Ze hadden die eikel van een Freddy helemaal niet nodig. Boy had Freddy altijd al een meeloper gevonden. Kak, dat was het. Freddy was nep. Het was gewoon een kakker die stoer wilde zijn.

Boy gaf Duco aan de andere kant een signaal met zijn zaklantaarn. Duco gaf een teken terug. De jongens haalden hun lucifers tevoorschijn en probeerden de in spiritus gedrenkte kranten aan te steken. Dat ging niet best. De kranten vatten geen vlam. Boy vloekte en keek naar de anderen. Die zaten ook te knoeien met hun lucifers.

Wat was er aan de hand met die stomme spiritus? Boy probeerde het met een aantal lucifers tegelijk. Ging niet.

Opeens klonk er boven zijn hoofd een doffe knal. Hij keek omhoog en zag witte troep naar beneden komen. Daarna volgden de gebeurtenissen elkaar razendsnel op. Het leek of ze midden op een militair oefenterrein stonden. Aan alle kanten knalden schoten en ontploften ballen gevuld met een wit poeder dat op de jongens neerdaalde. Ze konden geen kant op. Vanaf de tribune werden ze bestookt en ook vanaf het dak van het huisje van de ouwe man. Van de andere kant, uit de poort van het stadion kwam een klein monsterlijk voertuig op ze af.

Het werd bereden door iemand met een grote cape om en een halve bal op zijn hoofd.

Vanaf de tribune waren enorme slingers met kanonslagen gespannen.

De jongens wilden terug naar de straat vanwaar ze gekomen waren, maar aan die kant hingen ook slingers met kanonslagen en er kwamen ballen aanrollen die vlak voor hun neus ontploften en die vieze witte troep verspreidden. De vier jongens waren binnen een minuut veranderd van stoere Lonsdalers in lieve sneeuwmannetjes.

Tussen het geknal door klonk het geluid van de sirenes van de brandweer.

Net zo plotseling als het vuurwerk was begonnen, hield het ook weer op. De jongens bleven nog een paar seconden als versteend staan. Daarna wreven ze de witte troep uit hun ogen en maakten dat ze wegkwamen.

Op hetzelfde moment kwamen er twee brandweerauto's met loeiende sirenes de hoek om. Ze stopten voor het kleine monsterlijke voertuigje dat rondjes draaide op het pleintje voor het oude stadion. Door de schijnwerpers van de brandweermannen zag het plein er spookachtig uit. Alsof er een bloedbad in de sneeuw had plaatsgevonden. Zo leek het.

De brandweermannen stapten op het gekke voertuig af en zagen dat het een grasmaaier was, versierd met malle voorwerpen. De man op de grasmaaier deed zijn cape af en zijn motorbril en hij zette de halve bal van zijn hoofd. Er kwam een oude man tevoorschijn. 'Heren van de brandweer,' zei de man. 'Ik ben Jan Beck, maar u mag mij Coach noemen.'

'We kregen een brandmelding,' zei een brandweerman. 'Maar ik zie dat er niets aan de hand is. Loos alarm.

Wel zie ik dat er sprake is geweest van vuurwerk. Dat betekent een overtreding van de vuurwerkwet. Vuurwerk mag alleen worden afgestoken op oudejaarsavond. En met speciale toestemming van de burgemeester op bijzondere feestdagen.'

Uit het huisje naast het stadion kwam een oudere dame aangelopen.

'Goedenavond. U vraagt zich natuurlijk af wat hier gebeurd is?'

De grote brandweermannen keken verbaasd naar het kleine vrouwtje. 'Mevrouw?' zei de oudste brandweerman.

'Meneer Beck gaat morgen met mij trouwen, ziet u. Een paar jonge vrienden van ons hebben wat vuurwerk afgestoken. En er zijn enkele kalkbommen gegooid. Dat is een oud Dinkels gebruik bij trouwerijen tussen oudere personen. Tegen aderverkalking, begrijpt u wel?'

De brandweermannen begrepen er niets van. 'Had u toestemming voor dit eh... vreugdevuur?'

'De burgemeester weet er alles van,' zei oma Eefje. 'Ze gaat ons morgen trouwen. In het stadion. Op de middenstip. U bent van harte welkom. Ik wilde vroeger ook bij de brandweer.'

'Ik dacht dat je balletdanseres wilde worden?' zei Coach.

'Je kunt toch wel meer dingen willen. Ik wilde trouwens ook bij de politie en bij de televisie.' Ze keek de oudste brandweerman lief aan. 'Ach, nu u toch hier bent, kunt u misschien met uw krachtige spuit het pleintje een beetje schoonspuiten?'

12. Diagonale pass

Het was woensdagochtend. Hannes zat naast Donna in de klas. Hij kon zijn hoofd niet bij de les houden. Hij had nog uren wakker in zijn bed gelegen gisteravond. Toen hij thuis kwam was het half tien, dus veel te laat, maar zijn moeder had niets gezegd. Ze had zelfs niet geroepen dat hij zijn handen moest wassen. Ze zat op de bank en keek nog steeds naar beelden zonder geluid op de televisie. Zijn vader was niet thuisgekomen.

Hij had welterusten gezegd en was naar zijn kamer gegaan. Maar hij kon niet slapen. Het vuurwerk knalde nog steeds door zijn hoofd. Dubbelbil had vanaf de tribune de kaalkoppen bekogeld en oma Eefje had dat gedaan vanaf het huisje van Coach. Donna en Hannes hadden de jongens vanachter beslopen met grote rollen super kanonslagen. Donna had voor het eerst sinds Hannes haar kende buitenshuis een bril op. Daarom had ze gezien dat één van de jongens wegliep. Freddy. Toen de kaalkoppen met hun flesjes aan het knoeien waren, hadden Hannes en Donna de rollen met kanonslagen achter de jongens gelegd en ze hadden de lange lonten van de kalkbommen aangestoken. Toen Coach op zijn grasmaaier uit de poort kwam, was het knalfeest begonnen. De kalkbommen waren allemaal prachtig mooi ontploft en de kaalkoppen waren helemaal ondergesneeuwd.

Hannes hoorde hoe Dubbelbil op de bank achter hem een zak chips openscheurde. Omdat het net even stil was in de klas had iedereen het gehoord.

'Billie,' zei meester. 'ik dacht dat we hadden afgesproken dat je geen chips in de klas mocht eten.'

'Ik eet niet meester, ik trok een zakje open.'

'Zal ik het zakje voor je bewaren tot de pauze?'

'Dat zou fijn zijn. En eh, meester, mag ik een uurtje eerder weg. Mijn oma gaat vanmiddag trouwen. Ik heb nog geen cadeau.'

Meester keek hem ongelovig aan. 'Weet je dat zeker of verzin je een smoes om weg te mogen?'

'Een smoes, hoe komt u daarbij? Ik zou nog geen minuut van uw fijne lessen willen missen. Tenzij het echt niet anders kan.'

Donna stak haar vinger op. 'Het is heus waar meester. De oma van Dub... Billie gaat trouwen met Coach. Hij heet eigenlijk Jan Beck en hij was vroeger voetballer. En de burgemeester komt ook.'

Ze zweeg even en keek meester verbaasd aan. 'U hebt een snor.'

'Die had ik altijd al,' lachte meester. 'Maar jij hebt vandaag voor het eerst een bril op.'

'Vind uw vrouw dat lekker,' vroeg Dubbelbil. 'Een snor?'

'Ik ben niet getrouwd, ik heb een vriend en die heeft ook een snor. Maar verder gaat het je geen bal aan.' Meester rolde met zijn ogen en keek op zijn horloge. 'En Hannes en jij moeten zeker ook naar die bruiloft?'

'Ja,' zeiden ze alledrie tegelijk.

Ze liepen in de stad. Wat moest je in godsnaam kopen voor een oma die ging trouwen? Dubbelbil dacht aan iets eetbaars, bonbons of zo.

Dat vond zijn moeder ook lekker, dus dat zou oma ook wel lusten.

Donna vond het een stom idee. Bonbons geef je niet aan iemand die gaat trouwen. Ze vroeg zich af waarom Hannes zo stil was. Het leek of hij er niet helemaal bij was met zijn gedachten.

'Is er iets?'

'Niks. Hoezo. Wat moet er zijn?' Hannes keek haar boos aan. Waar bemoeide ze zich mee? Hij ging toch niet aan haar of aan Dubbelbil vertellen dat hij bezorgd was omdat zijn vader nog steeds niet was thuisgekomen. Dat ging niemand iets aan.

'Ben je zenuwachtig voor de training van vanmiddag?' vroeg Dubbelbil vriendelijk. 'Ik zou behoorlijk zenuwachtig zijn als ik voor het eerst in een echt stadion mocht voetballen, met een echte trainer.'

'Ik ben niet zenuwachtig. Misschien kunnen we je oma een naambordje geven, voor op de deur van het huisje van Coach. Mevrouw E. Beck of zoiets.'

Donna en Dubbel vonden het een goed idee en dus gingen ze op zoek naar een winkel waar je naambordjes kon laten maken.

Dubbelbil vond dat het een mooie koperen plaat moest worden met daarop ook de naam van Coach. 'Jan en Eefje Beck'.

'Oma Eefje en Coach' was beter, vond Donna.

Dat werd het, maar een mooie koperen plaat was behoorlijk duur.

Hannes had anderhalve euro bij zich, Donna kwam op drie euro en twintig cent en Dubbelbil had net al zijn geld uitgegeven.

De koperen plaat met de namen kostte bijna honderd euro.

'Stuurt u de rekening maar naar mijn vader,' zei Dubbelbil.

Tot verbazing van Hannes en Donna maakte de naamplaatmaker geen bezwaar. Het enige dat hij wilde weten was hoe je Coach schreef.

Een half uur later was de plaat klaar. Het was bijna één uur. Ze slenterden langzaam in de richting van het stadion. Dubbelbil had alweer honger gekregen. Donna en Hannes zouden geen hap door hun keel kunnen krijgen. Dubbelbil vroeg of hij hun geld mocht lenen, dan kon hij een reuzenzak Vlaamse friet kopen. De frietzaak was in de stad. Hannes vond dat het te lang ging duren om eerst naar de stad te lopen en dan terug naar het stadion.

Donna wilde wel even voor Dubbel naar de frietzaak vliegen, maar Dubbelbil vond dat geen goed idee. De friet moest vers zijn en heet gegeten worden. Dus ging Dubbel alleen naar de stad en liepen Donna en Hannes naar het stadion.

'Ik kan eigenlijk helemaal niet kiepen,' zei Donna tegen Hannes.

'Best wel,' vond Hannes. Donna ving alles op wat je naar haar toegooide, hoewel ze het voorwerp pas op het laatste moment zag. Ze kon duiken en springen. En ze had nu een bril op.

'Als keeper moet je de bal kunnen uittrappen, van de grond en uit je hand. Van de grond kan ik het wel. Maar los uit mijn hand, dat heb ik nog nooit gedaan.'

'Dan moet je uitwerpen. Dat is ook veel nauwkeuriger. De meeste uittrappen van keepers komen bij de tegenpartij terecht.'

Donna knikte. Hoewel ze altijd met Hannes en Dubbelbil omging, was het raar om als enige meisje mee te spelen in een jongenselftal.

'Ben jij in vorm?' vroeg ze aan Hannes.

Hannes haalde zijn schouders op. Hij had al een hele tijd geen bal geraakt. Hij had ook nog nooit op echte voetbalschoenen gestaan. En hij had gezien dat andere jongens, zoals Driss en Bouki, een veel betere techniek hadden. Hij wist niet of hij in vorm was.

Hij maakte zich zorgen over zijn moeder. Die zat maar op de bank en staarde sloom voor zich uit. Wat moest je met iemand die niks zei en niks deed?

'Mijn vader is nog niet teruggekomen,' zei hij tegen Donna. Hij moest het aan iemand vertellen. En Donna was zijn beste vriendin.

'Vind je 't gek. Dan moet je moeder maar niet de hele dag met die idiote keukenhandschoenen rondlopen.'

'Ze zit op de bank en ze zegt niks.'

'Ik wou dat mijn moeder even haar mond hield. Dat mens kakelt voortdurend in de telefoon, of ze heeft een vriendin op bezoek.'

'Ze vindt het misschien vervelend dat je vader altijd weg is,' dacht Hannes.

'Ik heb helemaal geen vader,' bekende Donna. Ze flapte het er zomaar uit. Zonder er bij na te denken. Die stomme leugen dat haar vader piloot was en over de hele wereld vloog. Ze had er genoeg van om dat te zeggen. Ze was te oud voor die flauwekul.

Over een maand werd ze twaalf.

Hannes stond stil en keek haar aan. Hij moest nog even wennen aan het idee dat Donna een bril op had en alles goed kon zien. 'Hoe bedoel je? Je hebt toch een vader? Die piloot?'

'Dat is niet waar. Ik heb natuurlijk wel een vader, iedereen heeft een vader. Maar mijn moeder weet niet hoe hij heet en waar hij woont. Het enige dat ze weet is dat de man die mij verwekt heeft, bij een vliegmaatschappij werkte. Dus ik dacht dat hij piloot was en toen heb ik dat verhaal verzonnen. Maar nu heb ik geen zin meer in die stomme leugen en ik wil trouwens helemaal geen piloot worden. Het is ook een stuk makkelijker om alles goed te kunnen zien.'

Ze liepen een poosje zwijgend naast elkaar.

'Ik denk niet dat ik een hele goeie voetballer ben,' zei Hannes.

'Dat maakt Coach wel uit. En trouwens, je hebt allerlei soorten voetballers. Misschien ben jij een hele goeie aanvallende middenvelder of een hangende spits. Of je kunt goed gaten trekken en de afvallende bal opvangen.'

Het was aardig van Donna dat ze hem gerust stelde, maar Hannes was niet overtuigd.

'En jij weet precies wat buitenspel is,' zei Donna.

Dat was waar. Hannes wist alles over de spelregels. Aangeschoten hands, hinderlijk buitenspel. Als hij een wedstrijd op de tv zag, floot hij altijd mee met de scheidsrechter. Maar wat had je eraan om de spelregels van buiten te kennen als je niet kon voetballen?

Ze kwamen bij het stadion en zagen dat de rotzooi van gisteravond helemaal verdwenen was. Het huisje van

Coach was versierd met bloemenslingers. En ook de grote poort van het stadion was versierd. Er stonden al een paar jongens te wachten tot ze naar binnen mochten.

Hannes en Dubbelbil hadden dertien jongens gevonden die mee wilden doen en die ook behoorlijk konden voetballen. Samen met hemzelf en Donna waren er dus vijftien spelers. Alleen Driss en Bouki hadden al kennis gemaakt met Coach. Ze vertelden trots aan de andere jongens dat Coach met één schot twee colaflesjes van de lat kon knallen.

Hannes kende de meeste jongens alleen van gezicht. Ze waren stuk voor stuk bijna een kop groter dan hij. Behalve een jongen die een beetje alleen stond. Dat was Attakus, van wie Dubbelbil beweerde dat hij de beste straatvoetballer van de stad was. Hij had een geelrood gestreept shirt aan. Hannes wist dat het een shirt was van Galatasaray, een club uit Istanboel.

Om kwart voor twee waren alle jongens er.

'Waar blijft die Coach van jullie, man?' vroeg een jongen die door zijn twee vrienden Punter werd genoemd. Die twee vrienden moesten Sjon en Johnnie zijn. Dubbel had drie grote sterke knapen beschreven. Ze waren bij Sportclub weggestuurd omdat ze niet de goeie instelling zouden hebben.

'Ben jij niet het vriendje van Billie?' vroeg Punter. 'Waar zit die vette drol, hij heeft beloofd dat we gratis schoenen en shirts krijgen.

Als het een grap is, trap ik persoonlijk een deuk in zijn dikke reet.'

Sjon en Johnnie knikten.

'Het is geen grap,' zei Hannes. 'Om twee uur gaat de poort open en kunnen we naar binnen. Ik weet niet waar Dubbelbil is, hij ging nog naar de stad om friet te kopen.'

'Dubbelbil, die is goed,' lachte Punter. 'Gaat die gast echt op doel?'

'Ik ga op doel,' zei Donna.

Sjon en Johnnie keken haar met open mond aan. Punter wees op zijn voorhoofd. 'Ja, ik ben gek. Wat is dit voor een maf zootje? Eerst eh... Dubbelbil en nu moet opeens een trut met een brilletje in het doel? Als ik die gratis schoenen heb gekregen, ben ik weg.'

Het was jammer dat Dubbel er nog niet was. Dubbelbil wist altijd overal een antwoord op. En het was tenslotte zijn oma die ging trouwen.

Precies om twee uur werd de poort opengedaan door een oudere man in een net pak. Hannes kende hem niet.

'Goedemiddag mannen. Mijn naam is Karel de Groot. Ik was vroeger keeper van Sportclub. Coach heeft mij gevraagd om getuige te zijn bij zijn huwelijk. En ik heb de opdracht gekregen een mooie erehaag samen te stellen. Wilt u mij maar volgen?'

De jongens keken elkaar verbaasd aan.

Karel, de oude keeper, ging hen voor naar de kleedkamer.

De kleedkamer was helemaal schoongemaakt. Voor alle jongens lag een stapeltje kleren klaar op de bankjes, op de grond stonden gloednieuwe schoenen. Voor iedereen was er een eigen kapstokje met daaronder een naam op een kartonnen bordje.

'Fuuuuck,' zei Punter vol bewondering. De monden van Sjon en Johnnie leken niet meer dicht te kunnen.

Ook Hannes was onder de indruk. Hij had een plaatsje op de hoek gekregen naar Attakus, die zijn schoenen had opgepakt en over het leer streek alsof hij een jonge hond aaide.

Karel de Groot lachte.

Alleen Driss en Bouki hadden een probleem.

'Eh... meneer,' zei Bouki verlegen. Hij keek naar Driss.

'Moeten wij in dezelfde kleedkamer als zij?' Driss wees naar Donna. 'Dat mag echt niet.'

'Van wie mag dat niet?' vroeg Karel.

'Van eh... van mijn vader niet en van mijn geloof enzo.'

Karel krabde op zijn hoofd. 'Tja, da's een probleem. Ik wil natuurlijk geen gedonder met je vader of met de pastoor.'

'De iman,' verbeterde Bouki. 'Wij zijn islamitisch...'

'Oké, dat geeft niks, het blijft een probleem.'

'Zal ik naar een andere kleedkamer gaan?' stelde Donna voor, 'ik heb geen vader en mijn moeder gelooft nergens in, geloof ik.'

'Laten zij dan naar een andere kleedkamer gaan.'

Donna draaide zich om. Punter keek haar vriendelijk aan.

'Zijn er nog meer jongens die er een probleem mee hebben dat er een meisje in de kleedkamer is?' wilde Karel weten.

Hannes keek naar Attakus, maar die keek nog steeds verliefd naar zijn nieuwe kicksen. Verder was er niemand die een bezwaar had tegen Donna. Hannes had Donna eigenlijk nooit bekeken als een gewoon meisje. Zo'n giechelende trut met een paardestaart en een beugel. Donna was Donna, wie kon daar nou een probleem mee hebben? Maar hij wilde ook niet dat Driss en Bouki niet meer mochten meedoen van hun vader. Die twee konden heel goed voetballen.

'Ik ga heus niet met jullie onder de douche staan,' zei Donna.

. 'Daar hoef je echt niet bang voor te zijn.'

'Tja,' zei Karel, 'wat doen we nou? We moeten opschieten, want om half drie komt de burgemeester. Die kan niet wachten.'

Driss zei iets tegen Bouki in het Marokkaans. Bouki knikte.

'Wij gaan ons ergens anders omkleden,' zei Driss.

Ze pakten hun nieuwe spullen en gingen naar de kleedkamer van de tegenstander. Er was vandaag toch geen tegenstander.

'Als je nieuwe schoenen niet helemaal lekker zitten, moet je ze nat maken onder de kraan,' zei Karel. 'Of je moet er vanavond natte kranten in stoppen. Als je thuis bent moet je ze niet in je tas laten zitten. Altijd je kicksen goed schoonmaken; als ze nat zijn geweest eerst drogen en dan invetten. Het leer moet soepel blijven.'

'Moet ik dat zelf doen?' vroeg een jongen die nog niets had gezegd.

'Ik vraag 't wel aan mijn moeder.'

'Als jouw moeder gek genoeg is om drie of vier keer per week jouw schoenen schoon te maken...'

De jongens en Donna kleedden zich om en omdat er geen grote spiegel in de kleedkamer was, bewonderden ze elkaars nieuwe spullen. Het zag er cool uit. De zwarte shirts met de witte V. De mooie witte broeken, die bijna tot op hun knieën hingen. De zwarte kousen met witte · randen en de glimmende schoenen, die ook zwart waren, zoals het hoorde. Hannes glom van trots.

Donna had een echte keeperstrui gekregen. Een felrode trui met een witte V op de borst en met nummer 1 op de rug. Ze droeg een zwarte broek en rode kousen. En zwarte keepershandschoenen.

Karel vertelde dat hij vroeger altijd zonder handschoenen in het doel stond. Hij liet Donna zijn handen zien. Dat waren pas kolenschoppen. Karel kon met gemak een bal met één hand vangen en klemvast houden. Donna legde haar eigen hand naast die van Karel. Het was of er een zeilbootje naast een olietanker lag.

'Wacht maar af, als jij twintig jaar hebt gekiept, heb je ook zulke handen.'

'Echt waar?' Donna wist niet of ze zulke grote handen wilde hebben. Het was natuurlijk makkelijk voor een keeper, maar voor een meisje was het niet bepaald mooi. Sinds gisteren, sinds ze een bril op had, keek ze met andere ogen naar de wereld om haar heen. En naar zichzelf.

'We gaan een erehaag vormen,' zei Karel. 'Bij de poort.'

'Ik dacht dat we gingen trainen,' zei Punter. 'Wat is dat voor een onzin? Kan die Coach niet trainen zonder dat hij getrouwd is?'

'Waarom heet jij eigenlijk Punter?' vroeg Hannes.

'Omdat hij altijd puntert,' antwoordde Sjon.

'Hij trapt met de punt,' voegde Johnnie toe.

Punter keek hen kwaad aan. Daarna lachte hij verlegen naar Donna.

'Kun je niet met je wreef trappen?' wilde Hannes weten. 'Dat kun je van Coach leren.'

Punter zei niets meer en alle jongens volgden Karel naar de poort.

Hannes had verwacht dat Dubbel er intussen wel zou zijn. Hij wilde hem laten zien hoe cool ze er uitzagen. Maar Dubbelbil was er niet.

'Misschien zit hij al in het hokje op de tribune,' zei Donna, die hetzelfde dacht als Hannes.

Hannes kon er niet lang over nadenken. Hij liep voor het eerst op voetbalschoenen in een echt stadion. Dat was een heel apart gevoel. Het was wat hij altijd had gewild. Maar nu het zover was, gebeurden er allerlei dingen om hem heen, waardoor hij er niet echt van kon genieten. Zijn vader was weggelopen, zijn moeder zat stom op de bank. Donna had geen vader en wilde geen piloot meer worden en Dubbelbil was er niet.

Karel zette de jongens op een mooie rij. Omdat Hannes de kleinste was, stond hij vooraan. Daarnaast kwam Donna, dan Attakus en de andere jongens. Punter was de grootste en dus de laatste in de rij.

Toen ze stonden opgesteld zwaaide Karel naar iemand die bovenop de tribune in het omroephokje zat. Even later klonk er uit de luidsprekers prachtige marsmuziek. 'Koning Voetbal,' zei Karel.

'Dat draaiden ze vroeger altijd als we het veld op kwamen.'

Hannes deed zijn ogen dicht en stelde zich voor dat er duizenden mensen op de tribunes zaten en dat hij in een drafje het veld op kwam lopen. Toen hij zijn ogen open deed zag hij dat er twee versierde auto's kwamen aanrijden. De eerste auto stopte voor de poort en de bestuurder stapte uit. Het was de moeder van Dubbelbil.

Ze opende het achterportier en daar kwam oma Eefje tevoorschijn.

Ze zag er prachtig uit in haar zwartwitte jurk. Coach stapte aan de andere kant uit de auto. Hij had een mooi zwart pak aan en een wit hemd. Hij droeg geen stropdas.

Uit de tweede auto klom een mevrouw met een grote ketting om.

'Dat is de burgemeester,' fluisterde Hannes tegen Donna.

'Dat zie ik ook,' zei Donna trots. Ze zag alles en ze herkende de burgemeester aan haar ambtsketen.

Oma en Coach liepen hand in hand langs de erehaag. Oma lachte de jongens vriendelijk toe. Coach liep een beetje onwennig naast haar in zijn trouwpak. De burgemeester en de moeder van Dubbelbil liepen ook langs de erehaag.

'Cool,' zei de burgemeester. 'Ziet er fantastisch uit.'

'Waar is Billie,' vroeg de moeder van Dubbelbil aan Donna.

'Hij zal wel boven op de tribune in het omroephokje zitten,' dacht Donna.

'Nee hoor,' wist Karel, 'daar zit Pé, die vroeger de opstelling der beide elftallen voorlas.'

Hannes keek Donna aan. Waar zat Dubbelbil in godsnaam? Hij had allang hier kunnen zijn. Donna haalde haar schouders op.

Karel dirigeerde de erehaag naar de middencirkel. De jongens en Donna moesten een cirkel vormen rond het bruidspaar en de burgemeester. Karel ging naast Coach staan. De moeder van Dubbelbil stond naast oma Eefje, haar moeder.

Toen iedereen was opgesteld zwaaide Karel naar boven en vroeg of de muziek uit mocht. Het werd doodstil in het stadion.

'Geacht bruidspaar,' begon de burgemeester, 'vrienden en eh... voetballers. Het is mij een groot genoegen om vandaag, in dit oude stadion waar zoveel is gebeurd en waar zoveel mensen vreugde hebben beleefd...'

'Maar ook verdriet...' zei Karel, die zich een paar grote nederlagen herinnerde.

'Dat is waar,' lachte de burgemeester. 'Het is bij voetbal zoals in het echte leven. Soms win je en soms verlies je. Vreugde en verdriet liggen dicht bij elkaar. Maar vandaag willen we het vooral over de vreugde hebben. Is het niet prachtig dat twee mensen, die elkaar...'

'Niet te lang burgemeester,' onderbrak oma Eefje haar. 'De jongens willen liever voetballen.'

De burgemeester keek even teleurgesteld. 'U hebt gelijk. Ik zal het kort houden.'

Twee minuten later waren oma en Coach getrouwd.

Hannes keek om zich heen. Nergens een spoor van Dubbelbil. Hij maakte zich ongerust. Bij de poort stond, half verscholen, een jongen met een pet op. Donna zag hem ook.

'Dat is Freddy,' zei ze. Ze had een hele goeie bril.

13. Breedtepass

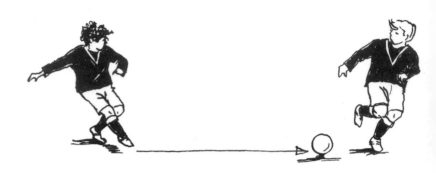

Dubbelbil was naar de stad gelopen en had een reuzezak Vlaamse friet gekocht. Hij hield er niet van om te eten en te lopen, dus was hij even op een bankje voor de friettent gaan zitten. Er kwam een jongen van een jaar of achttien naast hem zitten. Hij keek naar Dubbelbil en vroeg of hij hem ergens van kende.

'Zou ik niet weten,' zei Dubbelbil, terwijl hij drie gloeiend hete frietjes met saus in zijn mond propte. Hij keek de jongen aan. Hij kwam hem bekend voor, maar hij had geen idee waar hij hem eerder had gezien. 'Misschien van ballet?'

'Ballet?' vroeg de oudere jongen. 'Ik ga nooit naar ballet.'

'Ik ook niet. Ik gebruik het geld voor chips.'

'Ben je altijd zo grappig?' vroeg de ander.

'Ach, wat is grappig? Wat jij leuk vindt, vindt mijn vader brutaal.' Hij had geen zin om tegen de jongen te praten als hij at. Hij wilde zich op de friet concentreren.

'Heb je haast?' vroeg de jongen. 'Je eet zo snel.'

'Zo eet ik altijd. En friet mag je niet koud laten worden. Maar nu je 't zegt. Ik heb haast. Ik moet om twee uur op de bruiloft van mijn oma zijn. En dat is een flink stuk lopen.'

De jongen keek op zijn horloge. 'De bruiloft van je oma! Ik mag jou wel. Toevallig ben ik met de auto. Als je wilt breng ik je even naar die bruiloft.'

Dat was een mooi plan, vond Dubbelbil, dan had hij tijd genoeg om nog een klein zakje friet te bestellen. Met satésaus.

'Waar laat je al die troep?' vroeg de jongen toen Dubbelbil aan zijn tweede zak begon.

'Ik heb een hele hoge verbranding.' Om dat te bewijzen liet hij een knetterende scheet.

'Als je dat in de auto doet, ga je lopen,' waarschuwde de jongen.

'Hoe heet je eigenlijk?'

'Billie. Maar mijn vrienden noemen me Dubbelbil. Waarom weet ik niet. We moeten trouwens naar het oude stadion.'

'Oké,' zei de ander. 'Ik heet Gerard. Mijn vrienden noemen me G.'

Dubbelbil gooide het lege zakje in de prullenbak en liep met Gerard naar zijn auto, die niet ver van de frietzaak geparkeerd stond.

'Geen scheten,' waarschuwde Gerard nog een keer. 'De auto is van mijn moeder en die heeft een heel fijne neus.'

'Dat kun je van jou niet zeggen. Wat een gok heb jij zeg.'

Gerard keek hem kwaad aan en voelde aan zijn neus.

'Dat bedoel ik nou,' zei Dubbelbil. 'Wat ik leuk vind, vind jij minder leuk.'

'Dat was geen grap, dat was een belediging.'

Dubbelbil klom in de auto. 'Sorry. Dat had ik niet mogen zeggen.

Ik ben heel blij dat je me naar het stadion wilt brengen.'

Gerard keek hem wantrouwend aan en startte de auto.

Dubbelbil zag op het klokje van het dashboard dat het al tien voor twee was. Nou ja, met de auto waren ze zo bij het stadion. Het zou lullig zijn voor oma en Coach als hij te laat was. Hij verheugde zich al op de taart, die oma gisteren had gekocht.

Gerard reed alsof hij pas zijn rijbewijs had gehaald. Met twee handen omklemde hij het stuur en als hij moest schakelen keek hij naar de versnellingspook.

'Je rijdt goed,' zei Dubbelbil.

'Vind je?'

'Ik dacht dat je dat wel leuk zou vinden om te horen.'

'Jij moet heel erg oppassen mannetje,' zei Gerard. 'Nog één zo'n opmerking en ik gooi je eruit.'

'Jij moet ook oppassen,' antwoordde Dubbelbil. 'Volgens mij rij je om. We hadden rechtsaf gemoeten, naar het oude stadion.'

Gerard draaide zich naar hem toe en lachte. Het was geen vriendelijke lach, het was een nare lach die Dubbelbil ergens van kende. Van Boy. Gerard leek op Boy.

'Heb je 't door?' vroeg Gerard. 'We gaan niet naar het oude stadion. We gaan naar het nieuwe stadion. Daar wacht iemand die nog een appeltje met jou te schillen heeft.'

'Boy,' wist Dubbelbil. 'Dan hoop ik maar dat hij een nieuw schilmes heeft. Het oude mesje heb ik weggegooid. Ben jij toevallig zijn dommere broer?'

Gerard vloekte. 'Dikke klootzak.'

Dubbelbil lachte. 'Dat was geen belediging, dat was

natuurlijk een grap.' Hij was niet bang. Hij was nooit bang. Maar het was heel vervelend dat hij niet op tijd bij oma en Coach kon zijn.

'Als je toch niet van plan bent om me naar het oude stadion te brengen, kan ik net zo goed die auto van je moeder volruften.'

Dubbelbil voegde de daad bij het woord, waardoor Gerard één hand van het stuur moest halen om zijn neus dicht te knijpen.

Een paar minuten later reed Gerard de auto voor het clubhuis van Zwart op Wit, de jonge fans van Sportclub. Boy, Duco en nog tien andere kaalkoppen kwamen naar buiten. Boy trok de deur van auto open, maar deinsde net zo hard weer achteruit. 'Jezus, wat een lucht.'

Dubbelbil keek hem blij aan. 'Hé Boyo. Gaan we weer appeltjes schillen?'

'Weet je wat ze met jou zouden moeten doen... jij zou... jij zou... '

'Je bent zo blij om me weer te zien dat je niet uit je woorden kunt komen,' lachte Dubbelbil. 'En kijk, wie hebben we daar. Vriend Duco. Hoe is het met je hoofd?'

De kaalkoppen begonnen aan hem te trekken, terwijl Gerard van de andere kant duwde. Het was niet bepaald makkelijk om Dubbelbil uit de auto te krijgen.

'Jullie hadden ook gewoon kunnen zeggen dat ik uit moest stappen.

Hebben jullie trouwens iets te eten in dat clubhuis?'

'Eten kun je voorlopig vergeten,' grijnsde Boy.

De andere kaalkoppen drongen naar voren en voerden Dubbelbil het clubhuis in. Aan de muren hingen een paar grote zwartwitte clubvlaggen en vergeelde krantenfoto's van clubleden die door de politie werden afgevoerd, omdat ze rottigheid hadden uitgehaald.

Er stonden tien tafeltjes met stoelen. Er was een kleine bar en een grote koelkast.

'Gezellig,' vond Dubbelbil. 'Je moet er van houden, natuurlijk.

Hier praten jullie dus over de opstelling en de tactiek van Sportclub? Daar zou ik best 'ns bij willen zijn. Eerlijk waar.

Chippie, blikje cola.'

Twaalf kaalkoppen stonden om hem heen en keken hem dreigend aan. Dubbelbil vroeg zich af wat ze met hem van plan waren.

Op het antwoord hoefde hij niet lang te wachten. Hij werd door drie jongens vastgebonden op een stoel. Zijn mond werd dichtgeplakt met plakband en hij kreeg een blinddoek voor.

Coach had een paar ballen het veld opgeschopt, waarmee de jongens zich konden vermaken. Karel en Coach gingen zich omkleden. De burgemeester was met oma en de moeder van Dubbelbil naar het huisje van Coach gegaan om een stuk taart te eten. Pé, de omroeper, zat in het zonnetje op de tribune.

Hannes en Donna liepen naar Freddy.

'Goed dat je gisteren de brandweer hebt gewaarschuwd,' zei Donna. 'Wat waren die vrienden van jou link, man.'

Freddy knikte. 'Ze zoeken me. Ik heb de club in de steek gelaten.

Dat mag nooit. Als ze me te pakken krijgen, moet ik over de boog van de Hoge Brug lopen.'

Dat was levensgevaarlijk. Hannes had één keer een oudere jongen de brug zien opklimmen. Halverwege durfde hij niet meer terug. De jongen moest door de brandweer naar beneden worden gehaald. 'Weten ze waar je woont? Je moet in ieder geval andere kleren aantrekken en altijd een pet opzetten.'

'Ze weten niet waar ik woon. Dat heb ik ze nooit durven vertellen, omdat we een groot huis hebben in Villapark. Dat zijn allemaal kakkers. Maar ik zit bij Boy en Duco op school. Ik denk dat ik maar een tijdje ziek ben, of ik ga spijbelen. Als mijn vader erachter komt stuurt hij me naar een streng internaat in België. Daar krijgen ze me in ieder geval niet te pakken.'

Donna vroeg of ze Freddies mobieltje mocht gebruiken om Dubbelbil te bellen. Maar Dubbel had z'n mobiel niet aanstaan. Dat was niks voor hem. Daarom stuurde ze een sms-je: 'Waar zit je? Donna.'

'Dubbelbil is verdwenen,' legde Hannes aan Freddy uit. 'Hij had hier om twee uur moeten zijn.'

Freddy schrok. 'Ik hoop niet dat hij Boy is tegengekomen. Of zijn broer. Boy heeft een oudere broer, Gerard. Als iemand aan Boy komt, komt-ie ook aan Gerard. Gerard is achttien, maar hij zit vaak bij ons, in het clubhuis. Hij heeft zelf geen vrienden, geloof ik.

Hij is heel trots omdat hij net zijn rijbewijs heeft gehaald.'

Coach en Karel kwamen het veld op. Hun bierbuiken staken nogal af in de nieuwe strakke trainingspakken. Coach blies op een fluit.

'We trainen op maandag, woensdag en vrijdag,' zei Hannes. 'Heb je voetbalschoenen?'

Freddy knikte. 'Het lijkt me helemaal dope om mee te doen, maar ...ik weet niet... mag ik jullie mailadres?'

Donna gaf hem snel haar adres, terwijl Hannes al naar de middencirkel rende.

'Mannen,' begon Coach, toen iedereen om hem heen stond.

'En Donna,' zei Karel.

Coach knikte. 'Omdat ik niet weet wat jullie kunnen, beginnen we met een partijtje. Zeven tegen zeven, op een half veld. Ondertussen zal Karel kijken hoe goed onze keeper is.'

Coach zette twee kleine doeltjes op een half veld tegenover elkaar en gaf zeven jongens een geel hesje. Zonder verdere aanwijzingen liet hij de jongens beginnen. Het gevolg was natuurlijk dat alle jongens de bal probeerden te veroveren en als een kluwen jonge honden over het veld rende. Na vijf minuten blies Coach op zijn fluitje en gaf hij alle jongens een positie op het veld. Van elke partij zette hij twee jongens achterin, drie in het midden en twee voor.

Hannes stond midden op het middenveld. Hij had in de vijf minuten daarvoor nauwelijks een bal geraakt en hij was behoorlijk moe geworden van al dat gedraaf over het veld. Niemand had trouwens een goal gemaakt.

Nadat iedereen een eigen positie had gekregen ging het spel een stuk beter. Hannes kreeg twee keer een bal toegespeeld en kon één keer een strakke bal binnendoor op Quincy geven. Af en toe keek hij naar Donna, die in één van de grote goals stond en door Karel onder vuur werd genomen.

Donna had geen tijd om op Hannes te letten. Karel was dan wel zo oud als haar opa, hij kon nog steeds hard schieten. Ze vloog als een adelaar door het doel om de ballen tegen te houden. De handschoenen waren een beetje onwennig, maar ze zag de ballen al van ver aankomen, omdat ze een bril ophad. Als je tussen de palen stond leek het doel veel groter dan wanneer je op de tribune zat, of wat je op de tv zag. Ze moest flink springen om bij de lat te kunnen. Door alle landingen die ze in haar leven had gemaakt was ze niet bang om te vallen.

Vanuit een ooghoek keek ze even naar de poort, maar Freddy was verdwenen. Het zou leuk zijn als hij mee kon doen zonder dat hij last kreeg met Boy...

'Concentreren,' riep Karel. 'Blijven concentreren, een wedstrijd dùurt anderhalf uur.'

Donna concentreerde zich weer op de ballen die Karel op het doel schoot.

Hannes was na een half uur spelen helemaal kapot. Hij was blij dat Coach het wedstrijdje afblies en de jongens verzamelde.

Ook Karel en Donna kwamen erbij.

'Mooi zo. Ik heb voor vandaag genoeg gezien. We gaan ons omkleden en daarna taart eten.'

'Wat is de bedoeling eigenlijk?' vroeg Punter. 'Ik bedoel, ik vind het natuurlijk sjiek enzo om hier te spelen...maar gaan we ook echte wedstrijden doen?'

'We gaan eerst een tijd trainen,' antwoordde Coach. 'De meesten van jullie hebben nog nooit in een echt elftal gespeeld. Ik wil goed bekijken welke positie voor iedereen het beste is. Ben je een aanvaller, of kun je beter op het middenveld staan.'

'Ik ben verdediger,' zei Punter. 'Ik speelde bij Sportclub altijd in de verdediging.'

'Zou kunnen. Maar het kan zijn dat ik je de volgende keer in de spits zet. Laat dat maar aan mij over. We trainen drie keer in de week. Wie niet kan komen moet zich bij mij of bij Karel afmelden.

Als je je drie keer niet hebt afgemeld mag je niet meer

meedoen en moet je je spullen inleveren. Ik zal jullie een brief geven met de tijden en telefoonnummers. De spullen die jullie hebben gekregen zijn gratis door ons verstrekt. Wees er zuinig op. Als je dingen kwijtraakt, moet je zelf voor vervanging zorgen.'

'Bij Sportclub werden onze spullen door de club gewassen,' zei Punter.

'Tja. Waarom ben je niet bij Sportclub gebleven?'

Donna zag dat Punter even aarzelde om antwoord te geven. 'Ik ben weggestuurd omdat ik geen reserve wilde staan.'

'Als je bij ons reserve zou moeten staan, loop je dan weer weg?'

Punter haalde zijn schouders op. 'Als ik beter ben dan een andere jongen, wil ik niet reserve staan.'

'En wie bepaalt of je beter bent dan iemand anders?' vroeg Coach.

'Dat kan een blinde zien. Ik ben gewoon beter dan dat jochie.' Hij knikte naar Hannes. 'Als je hem laat spelen en mij niet, ben ik weg. Echt wel.' Hij keek naar zijn vriendjes Sjon en Johnnie.

Hannes beet op zijn lip.

'Jezus, wat ben jij een lul zeg,' zei Donna. 'Ik weet helemaal niet of ik wel met jou in een elftal wil spelen.'

'Ik denk dat het niet mag van de voetbalbond, dat een meisje meespeelt met jongens,' zei de jongen die zijn schoenen door zijn moeder liet poetsen. Hij heette Dennis en hij had een heleboel pukkels.

'Wij zijn niet aangesloten bij de bond en we zijn geen officiële club,' zei Coach. 'We hebben zelfs geen naam. Weet iemand trouwens een goeie naam? Maar om even terug te komen op Punter.

Punter heeft vandaag in de verdediging gespeeld. Hij is

groot en sterk en hij heeft twee keer een doelpunt voorkomen. Hannes heeft op het middenveld gespeeld en hij heeft een strakke bal binnendoor op Quincy gespeeld. Quincy had moeten scoren, maar Hannes heeft precies gedaan wat hij moest doen.

Het gaat bij voetbal om techniek, tactiek, conditie, kracht en inzicht in het spel. Sommige jongens hebben een heel goeie techniek, zoals Driss en Bouki; anderen hebben kracht en conditie, zoals Punter. En Hannes heeft inzicht in het spel. In een elftal heb je alle soorten spelers nodig om tot een goed resultaat te komen.'

'En een goeie keeper,' zei Karel. 'Een slechte keeper kost punten, een goeie keeper kan wedstrijden winnen. Ik geloof dat Donna het talent heeft om een goeie keeper te worden.'

'Omkleden,' zei Coach, 'voor de taart koud wordt.'

In de kleedkamer wachtte nog een verrassing. Voor alle spelers stond een voetbaltas klaar, waarin een trainingspak zat.

'Volgende keer handdoeken meenemen om te douchen,' zei Karel. 'Ik zal zorgen dat er warm water is.'

'Ik ga thuis wel onder de douche,' zei Donna. 'Ik heb geen zin om tussen die pikkies te staan. En dan kunnen Driss en Bouki zich in deze kleedkamer omkleden.'

Nadat ze zich hadden omgekleed gingen ze naar het huisje van Coach, waar oma Eefje en de moeder van Dubbelbil wachtten met taart en frisdrank. De burgemeester was net weg.

Omdat Dubbelbil er niet was, was er veel te veel taart.

Nadat iedereen zijn taart had opgegeten, gaven Hannes en Donna de koperen naamplaat aan Coach en oma Eefje. Ze vonden de plaat heel mooi, Karel ging hem onmiddellijk op de deur schroeven.

'Hij is ook van Du... Billie,' zei Hannes.

De jongens vertrokken. Alleen Hannes en Donna bleven omdat ze zich ongerust maakten.

De moeder van Dubbelbil maakte zich nooit ongerust over haar zoon, maar nu begreep ze niet waar hij bleef. 'Hij wist toch dat er taart is?'

'Als het weer een streek van Anton is, draai ik de kraan dicht,' zei oma.

'Welke kraan bedoel je?' vroeg Coach. 'De bierkraan? Mogen Karel en ik nu een biertje?'

'De geldkraan. Mijn schoonzoon heeft zijn bedrijf opgebouwd met geld van mijn eerste man. Anton mag met dat geld doen wat hij wil, maar hij moet verantwoording afleggen aan de aandeelhouders.

Het grootste deel van de aandelen is van mij. Als ik wil kan ik hem verbieden om iets te doen. Of ik kan mijn geld terugvragen.'

Coach keek haar verbaasd aan. 'Ik weet niks van geldzaken. Maar als ik het goed begrijp is het grootste deel van zijn bedrijf van jou.'

'Je bent met een rijke vrouw getrouwd, Jantje Beck,' lachte Karel.

Hij ging naar de keuken en kwam terug met twee flesjes bier.

'Krijg ik geen bier?' vroeg oma. 'Ik ben wel getrouwd vandaag.'

'Sorry,' zei Karel, 'ik wist niet...'

Donna voelde haar telefoon overgaan. Ze nam op en zag dat het Dubbelbil was. 'Hé Dubbel, waar zit je man?'

Ze hoorde geruis en gekraak en een vreemde stem zei: 'Wij hebben Billie van Dieren in onze macht. Hij is door ons ontvoerd. Als u hem terug wilt moet u precies doen wat wij van u willen. Als u de politie inschakelt, ziet u Billie van Dieren niet meer terug. Wij bellen over een kwartier met onze eisen.'

'Ze hebben Dubbelbil, hij is ontvoerd,' zei Donna.

'Wie is Dubbelbil?' vroeg de moeder van Dubbelbil.

'Wie zijn ze, wat zeiden ze precies?' vroeg oma.

'Dubbelbil is Billie. We noemen hem Dubbelbil of Dubbel,' legde Donna uit. 'Hij is ontvoerd, maar ik weet natuurlijk niet door wie. We mogen de politie niet inschakelen, anders zien we hem niet meer terug. Ze bellen zometeen om te zeggen wat ze precies van ons willen.'

'Dubbelbil,' zei de moeder van Dubbelbil, 'ik wist niet dat jullie Billie zo noemden. Wie wil die jongen nou ontvoeren? Weet je hoeveel hij kost, alleen aan ontbijt...'

'Als het de kaalkoppen van Boy zijn, krijgt hij niet veel te eten,' zei Hannes.

'Als de kaalkoppen erachter zitten, zit Anton er ook achter,' dacht oma.

'Wat heeft Anton er mee te maken, mam? Jij hebt altijd al iets tegen mijn Anton gehad.' De moeder van Dubbelbil was nog niet volledig ingelicht over de rol die haar man de afgelopen tijd had gespeeld.

'Anton is gewoon een slimme zakenman. Daardoor heeft hij veel geld verdiend. Wat is daar mis mee? Wij hebben een mooi huis en een mooie auto. We eten goed en jij kunt ook niet klagen. Anton heeft van die paar centen die hij van vader heeft gekregen een heel groot bedrag gemaakt.'

'Als hij het eerlijk verdient, is er niks mis mee,' vond oma. 'Maar soms gaat Anton te ver als hij een euro meer kan krijgen. Toen hij begon had hij alleen maar schulden en heeft jouw vader hem geholpen.

Hannes en Donna begrepen niet precies waar het over ging. Het enige dat ze wisten was dat Dubbel in gevaar was en dat ze hem moesten opsporen en terugkrijgen.

'Wat moet ik tegen die ontvoerders zeggen als ze bellen?' vroeg Donna.

'Dat we alles doen wat ze willen om Billie terug te krijgen,' vond de moeder van Dubbelbil.

'Ben je gek, kind,' zei oma. 'We moeten eerst goed nadenken over wat ze willen. En we moeten natuurlijk weten of Billie nog gezond is. Je moet vragen of je hem kunt spreken.'

Coach en Karel knikten.

'Moet de politie niet ingeschakeld worden?' vroeg Karel. Karel keek naar alle politieseries op de tv. Als er een ontvoering was, zeiden de ontvoerders altijd dat de politie niet mocht worden gebeld. Maar dat deed de familie toch en dan loste de politie de ontvoering binnen vijftig minuten op.

'Ik denk dat we beter Anton kunnen inschakelen,' dacht oma.

'Anton is niet in de stad, hij moest naar België of Duitsland, dat weet ik niet meer,' zei de moeder van Dubbelbil. 'En ik denk niet dat hij tijd heeft om zich met Billie bezig te houden. Billie en zijn vader liggen elkaar niet zo.'

'Billie is ontvoerd, weet je nog? Als die man van jou geen tijd heeft om zijn eigen zoon te helpen, zwaait er wat voor hem.' Oma leek echt boos. 'Heb je zijn nummer, ik bel hem zelf wel.'

Haar dochter keek beteuterd en gaf oma het geheime nummer van Anton.

Op dat moment ging de telefoon van Donna weer. Ze nam op en hoorde dezelfde rare stem. 'Luister goed. Ik zeg dit maar één keer. Wij hebben Billie van Dieren. Wat wij willen is dat het huisje naast het oude stadion wordt ontruimd. En ook dat het veld wordt omgeploegd zodat er geen trainingen meer kunnen worden gegeven. Voor negen uur vanavond.'

'Kan ik Billie van Dieren even spreken,' vroeg Donna. 'Als we niet weten of hij gezond is, gaan we natuurlijk niet op jullie eisen in.'

'De dikke jongen heeft net gegeten. Hij kan geen pap meer zeggen.'

De verbinding werd verbroken.

'Ze willen dat het huisje van Coach wordt ontruimd en dat het veld wordt omgeploegd, zodat we niet meer kunnen trainen.'

'Gelukkig,' zuchtte de moeder van Dubbelbil. 'Ik was al bang dat ze veel geld wilden. Coach kan toch mooi bij jou in huis komen, mam. Jullie zijn nu getrouwd.'

Oma Eefje keek heel kwaad naar haar dochter. Ze begreep niet hoe ze zo'n dom kind had kunnen krijgen. 'Hier zit jouw Anton achter, Pia, hij wil dat het stadion wordt afgebroken om er parkeerplaatsen van te maken. Totdat hij er kantoren mag bouwen.'

Donna staarde naar het display van haar mobieltje. 'Ik mocht niet met Dubbel praten. Volgens die jongen had hij net gegeten en kon hij geen pap meer zeggen.'

'Dat is fijn,' zei Pia, 'als Billie niet goed eet, wordt hij heel chagrijnig.'

Oma belde het nummer van Anton. Ze kreeg haar schoonzoon meteen aan de lijn. 'Anton, waar zit je?' vroeg ze streng.

'Ben jij dat, Eefje? Ik zit in de auto.'

'Je zoon is ontvoerd. Waarschijnlijk door een stelletje kaalkoppen die jij betaalt om Coach uit zijn huisje te pesten.'

'Wat!? Wat vertel je me nou? Wat is dat voor een onzin. Is Billie ontvoerd? Door kaalkoppen?' Anton gaf van kwaadheid een slinger aan het stuur, waardoor de auto bijna in de berm schoot. Wat wist zijn schoonmoeder over kaalkoppen en wat had zij te maken met Coach. 'Ik ken helemaal geen kaalkoppen.'

'Lieg niet tegen me, Anton. Je weet donders goed over wie ik het heb. Ze hebben zelf verteld dat een lange dunne man hun honderd euro heeft gegeven om een smerige streek uit te halen. Omdat ik daar persoonlijk een stokje voor heb gestoken, hebben ze vandaag je zoon ontvoerd. Ze eisen dat het huisje van Coach wordt ontruimd en dat het veld wordt omgeploegd. Als jij niet zorgt dat die kaalkoppen Billie onmiddellijk vrijlaten, draai ik jou en je smerige zaakjes de nek om.' Ze verbrak de verbinding.

14. Pass met effect

Dubbelbil had al bijna twee uur niets gegeten. Hij zat opgesloten in een klein hok, ver achter het clubhuis van de kaalkoppen, onder het nieuwe stadion. Hij zag niets en hij kon niet praten vanwege het plakband. Zijn hoofd jeukte, maar hij kon zich niet krabben omdat zijn handen achter de stoel zaten vastgebonden. En hij moest al een een uur een plas. Het kon ook langer of korter zijn, hij had eigenlijk geen idee van de tijd. Aan zijn maag voelde hij dat het etenstijd was, maar dat zei niks. Het was voor Dubbelbil de hele dag etenstijd.

Nadat de kaalkoppen hem hierheen hadden gesleept, was er niemand meer naar hem komen kijken. Hij had eens een film gezien waarin een man werd ontvoerd en vastgebonden. Die man had zichzelf bevrijd. Toen hij vastgebonden werd had hij zijn spieren opgezet. Daardoor had hij een beetje speling in het touw gekregen.

Dubbelbil had er niet aan gedacht om zijn spieren op te zetten, toen hij werd vastgebonden. Daar denk je pas aan als het te laat is. Tenslotte was het de eerste keer dat hij werd ontvoerd en vastgebonden.

Zijn hongergevoel werd steeds sterker. En zijn blaas

stond op knappen. Voor de zoveelste keer wilde hij schreeuwen, maar het plakband zat zo strak dat hij geen enkel geluid kon maken.

Hij hoorde dat er iemand binnenkwam.

'Hé vetklep,' zei Boy. 'Ik ruik dat je het van angst in je broek hebt gedaan. Ik dacht dat jij niet bang was. Je hebt toch altijd zo'n grote bek?'

'Grmph,' deed Dubbelbil.

'Wou je iets zeggen? Ik heb trouwens met dat halfblinde vriendinnetje van je gepraat. Ze willen graag weten hoe het met je is. Ze maken zich ongerust. Je had even moeten bellen om te zeggen dat je wat later kwam.'

Boy lachte om zijn eigen grap en ging weer weg. Dubbelbil vond het vervelend dat Donna en Hannes ongerust waren. En oma Eefje ook. Hij werd opeens kwaad op die kaalkoppen. Dat was nieuw voor hem. Dubbelbil werd nooit kwaad, de meeste dingen konden hem niet schelen. Niet of iemand hem voor vetzak uitschold of dat zijn vader hem iets verbood. Of dat de meester zei dat hij lui was.

Als hij genoeg te eten kreeg, vond hij alles best. Maar nu had hij honger en zijn vrienden waren ongerust. Daardoor werd hij kwaad.

Van boosheid begon hij te schuiven op zijn stoel. En te wippen. Dat laatste was niet best voor de stoel. Hij raakte uit balans en viel om.

Met het volle gewicht van Dubbelbil er bovenop. Dat betekende het einde van de stoel.

Dubbelbil had zich niet bezeerd. Doordat de stoel in stukken was gebroken kon hij opeens zijn handen en zijn voeten bewegen. Als hij wat leniger was geweest zou hij met zijn gebonden handen zijn voeten kunnen losmaken. Hij rolde zichzelf naar een muur en drukte zich op. Hij stond. En hij kon met kleine pasjes lopen.

Hij wachtte even tot het bloed door zijn armen en benen liep en begon door de kleine ruimte te strompelen. Hij voelde ergens een stapel kratten met flessen. Hij haalde een fles uit een krat en sloeg die tegen de muur kapot. Met de scherf die hij in zijn rechterhand overhield probeerde hij heel voorzichtig het touw tussen zijn polsen door te snijden. Omdat hij zo voorzichtig moest zijn, duurde het erg lang. Af en toe werd hij er moedeloos van. Hij had zich nog nooit zo lang geconcentreerd op zo'n fijn werkje. En als hij honger had, kon hij zich slecht concentreren. Hij kreeg steeds meer honger en hij kon zijn plas bijna niet meer ophouden. Hij was bang dat er iemand zou binnenkomen voor hij klaar was. Af en toe hoorde hij een geluid en hield hij even zijn adem in.

Maar opeens voelde hij dat het touw losser zat en daardoor had hij meer ruimte om te snijden. Vijf minuten later waren zijn handen los. Eerst trok hij de blinddoek af. Het hok waarin hij zat bleek pikdonker, dus dat hielp niet veel. Daarna trok hij aan het plakband dat rond zijn hoofd was geplakt. Dat deed verdomd veel pijn. Hij nam hele bossen haren mee. Toen hij ook zijn voeten had bevrijd ging hij tastend op zoek naar een deur. Hij struikelde een paar keer en toen hij de deur had gevonden, zat die op slot. Hij zocht rond de deur naar een lichtknopje. Hij vond een schakelaar en knipperde met zijn ogen tegen het felle licht. Hij zag dat hij in een soort voorraadkamer van het stadion was. Dubbelbil wist dat er in het nieuwe stadion een groot restaurant was en een paar café's.

Het eerste wat hij moest doen, was een plas. Hij zocht naar iets waar hij in kon plassen, maar hij vond alleen een krat lege colaflesjes. Hij vulde vier flesjes tot de rand en zuchtte van opluchting. Daarna ging hij op zoek naar iets eetbaars.

Hij vond vrieskisten vol dozen met voorgebakken patat, hamburgers, frikandellen en bamiballen. Niet te vreten, zelfs niet als je zo'n trek had als hij op dit moment.

Gelukkig stonden achterin de voorraadkamers dozen met Nutsen, Marsen en Bounty's. Hij at van elk merk vijf repen en kon er weer even tegen. Zeker toen hij ook pakken met blikjes Chocomel en Fristi ontdekte.

Een kwartier later voelde hij zich weer helemaal de oude Dubbelbil en kon hij gaan nadenken over zijn toekomst.

De vader van Dubbelbil was woedend. Hij had Boy en zijn vrienden geld gegeven om die ouwe zwerver uit zijn huisje te pesten. Wat had oma Eefje daar mee te maken en waarom hadden die kaalkoppen zijn eigen zoon ontvoerd? Zijn kleine dikke vriend had hem al gewaarschuwd: 'Die knapen zijn zo onbetrouwbaar als een vos in een kippenhok.'

Als oma Eefje besloot om de geldkraan dicht te draaien, had hij echt een probleem. Hij moest naar het clubhuis van die jongens om uit te zoeken wat er precies aan de hand was. Het was vier uur. Als hij hard reed kon hij om zes uur in de stad zijn.

Hannes zat een beetje stilletjes voor zich uit te kijken. Het had vandaag een echte feestdag moeten zijn. Maar door dat gedoe met zijn vader en moeder was de dag al verkeerd begonnen. En nu was Dubbelbil ontvoerd. Zonder Dubbel was er niet veel aan. Dubbelbil was de gangmaker. Hij was altijd vrolijk en hij maakte nergens een probleem van. Zoals met Freddy. Als Dubbel er was geweest had hij wel geweten hoe ze dat moesten oplossen.

Maar de grootste teleurstelling van vandaag was de training. Daar had hij zich enorm op verheugd. En nu bleek dat hij geen goeie voetballer was. Punter had gelijk. Het zou idioot zijn als er andere jongens reserve moesten staan en hij mocht spelen. Coach was heel aardig geweest om te zeggen dat Hannes een goeie pass binnendoor had gegeven. Zelf had hij gezien dat de andere jongens stuk voor stuk beter waren dan hij. Hij werd aan alle kanten voorbij gelopen, zijn techniek was niet goed en hij durfde de bal niet te koppen.

'Het komt wel goed Hannes,' zei oma Eefje, die zag dat hij in de put zat. 'Ik weet zeker dat Billie weer gewoon naar huis komt.'

Hannes knikte. Hij wilde graag geloven wat oma zei. Maar daar werd hij geen betere speler van.

Ze zaten zwijgend in een kring te wachten. Coach en Karel waren even naar buiten gegaan om een sigaretje te roken. De moeder van Dubbelbil ging weer een pot koffie zetten en oma vroeg of Hannes en Donna nog een stuk taart lusten. Ze schudden allebei hun hoofd en dachten aan Dubbel, die in zijn eentje een hele taart naar binnen kon schuiven en daarna vroeg wanneer ze gingen eten.

'Gelooft u echt dat Dubbel vrijgelaten wordt?' vroeg Donna. 'Die jongens waren gisteren goed kwaad op hem.'

'We moeten Freddy helpen,' dacht Hannes opeens. Hij vertelde oma wat Freddy vanmiddag had gezegd over Boy en de kaalkoppen.

'Tja,' zei oma. 'Die Freddy is natuurlijk wel een sufferd dat hij bij die club is gegaan. En ik kan niet de problemen van alle jongens in de stad oplossen.'

'Freddy heeft gisteren de brandweer gebeld,' zei Donna. 'Dat was toch heel goed van hem?'

'Laten we eerst Billie maar terug zien te krijgen, daarna kijken we wat we voor die Freddy kunnen doen.' Oma nam een slok bier en dacht na.

'Freddy kan mijn spullen krijgen,' zei Hannes. 'Ik denk dat ik niet goed genoeg ben om voetballer te worden.'

Donna keek hem verbaasd aan. 'Je bent gek man. Je hebt toch gehoord wat Coach heeft gezegd? Je trekt je toch niks van die Punter aan. Die jongen heeft de techniek van een koe op klompen.

En die andere twee gasten zijn ook niet zo best. Sjon en Johnnie.'

Coach en Karel kwamen binnen.

'Niet zo somber mensen,' lachte Karel, die al drie biertjes had gedronken. 'Mijn ouwe vriend hier is vandaag voor het eerst in het huwelijksbootje gestapt. Wie had dat kunnen denken?'

'Ben jij eigenlijk getrouwd, Karel?' vroeg oma.

'Goed dat je dat zegt. Ik moet naar huis, mijn vrouw zit te wachten met de warme prak. Als ik te laat kom, moet ik de hele week afwassen. Ja, Jantje Beck, daar kom jij nog wel achter.'

Hannes belde naar huis om te zeggen dat hij bij Donna bleef eten en Donna belde haar moeder om te zeggen dat ze bij Hannes bleef.

Hannes vroeg niet of zijn vader al was teruggekomen. Als dat zo was had zijn moeder het wel gezegd. Hij probeerde zich voor te stellen hoe het was om alleen met zijn moeder te wonen. Misschien ging ze nog meer schoonmaken. En zou hij eigenlijk wel drie keer in de week mogen trainen? Daar had hij nog niet over nagedacht. Eerlijk gezegd had hij tot vanmiddag nauwelijks kunnen geloven dat het echt allemaal door zou gaan.

'Punter vroeg vanmiddag wat nou precies de bedoeling is,' zei Donna tegen Coach. 'Of we tegen andere clubs gaan spelen en zo.'

'Daar heb ik een plan voor.' Coach glimlachte. 'Ik wil

het aan jullie twee vertellen, omdat jullie met het idee zijn begonnen. Maar vertel het nog niet aan de anderen tot het helemaal zeker is.

De bedoeling is dat we over een half jaar de afscheidswedstrijd van dit oude stadion gaan spelen tegen een selectie van Sportclub en de jongste talenten van het Nederlands elftal. Jongens van dezelfde leeftijd als jullie.'

'Dope,' zei Donna.

'Cool,' vond Hannes. Hij keek niet blij. Die gasten konden natuurlijk nog beter spelen dan de jongens vanmiddag. Over een half jaar was hij net 12.

'Weten jullie geen goeie naam voor ons team?' vroeg Coach.

'Dan moet je bij Dubbel zijn,' zei Donna, 'die weet vast een goeie naam.'

De moeder van Dubbelbil begon opeens te huilen, het klonk als een kapotte stofzuiger. 'Waar blijft Billie, waar blijft mijn kleine Billeke.'

'Stel je niet aan Pia,' zei oma Fefje streng. 'Ik heb die malle sperzieboon van je gezegd waar het op staat. Ik vertrouw erop dat Anton Billie heelhuids thuisbrengt.'

De moeder van Dubbelbil snikte nog wat na en slurpte van haar koffie.

'Maar daarna,' wilde Donna van Coach weten. 'Wat gebeurt er als het stadion is afgebroken en we geen plek meer hebben om te voetballen?'

'Ik hoop dat de meeste jongens dan bij een echte club gaan spelen of misschien zelfs bij de selectie van Sportclub kunnen komen.

Meer kan ik niet voor jullie doen, ben ik bang.'

Oma keek van Donna naar Hannes en van Hannes naar Donna.

'Ik geloof dat ze daar niet erg blij mee zijn, Jantje Beck.'

'Nee,' zei Donna. 'Dan moet ik zeker in een meidenelf-tal ofzo. Mooi niet.'

'Ik kom toch niet bij de selectie,' wist Hannes.

'Er moet een mogelijkheid voor jullie zijn om op straat te kunnen voetballen. Vroeger gingen mijn broers elke dag op straat voetballen, of op een pleintje. Ik heb het daar vanmiddag nog met de burgemeester over gehad,' vertelde oma Eefje. 'Ze was het helemaal met me eens, maar ze had er op het moment geen geld voor.'

'De verkiezingen zijn pas over twee jaar,' mompelde Coach. 'Dan is er opeens geld.'

Er ging een telefoon. Deze keer was het die van de moeder van Dubbelbil. 'Ja, hallo,' zei ze. 'Ja, ja. Dat is goed. Ja, ik ook van jou. Dag. Rij voorzichtig.'

Iedereen keek haar nieuwsgierig aan.

'Dat was Anton. Hij zei dat hij wat later thuis komt. Hij moest even iets regelen.'

'Wat moest hij regelen?' vroeg oma.

'Ja, dat weet ik toch niet. Ik bemoei me niet met zijn zaken. Zolang ik me niet met zijn zaken bemoei, bemoeit hij zich niet met mijn zaken. Toch?'

'Het enige wat jij doet is winkelen en eten. Je had toch kunnen vragen of hij iets voor Billie aan het regelen is?'

Pia keek haar moeder aan. 'Ja stom zeg. Daar heb ik helemaal niet aan gedacht. Misschien kan ik maar beter naar huis gaan. Anton houdt er niet van om in een leeg huis te komen. En als hij Billie meeneemt, zal die arme jongen wel honger hebben.'

Anton van Dieren reed de stad in. Hij had een half uur in de file gestaan en daar kon hij slecht tegen. Zijn humeur was tot een dieptepunt gezakt. Hij had Pia willen vragen of zij wist wat er met haar moeder aan de hand was, maar het leek hem verstandiger om zijn vrouw niet ongerust te maken. Pia was heel gevoelig. Zeker als het om Billie ging.

Hij reed naar het nieuwe stadion, dat hij zelf had laten bouwen. Hij was best wel trots op alles wat hij had bereikt in zijn leven. Tenslotte had hij geen enkele school afgemaakt. Met het geld van zijn schoonvader had hij een mooie grote firma opgebouwd en veel geld verdiend. Als Eefje over een tijdje dood was, hoefde hij aan niemand verantwoording af te leggen. Hij wist dat zijn schoonmoeder hem in de gaten hield.

Hij zette zijn Jeep Cherokee voor de ingang van het clubhuis van Zwart op Wit. Vroeger was hij voorzitter van die club geweest.

Dat was een lollige tijd. Toen betekende het nog wat om hooligan te zijn. Je zocht een paar supporters van de tegenstander op en je ging lekker matten. Of je sloopte het interieur van de trein. Tegenwoordig was alles gere geld. De politie hield iedereen in de gaten en als je wilde matten met de tegenstander moest je eerst telefonisch afspreken waar je elkaar kon treffen.

Hij was blij dat hij niet meer jong was.

Hij had er wel hoogstpersoonlijk voor gezorgd dat de supporters een keurige eigen ruimte onder het stadion hadden gekregen. Als hij ergens mee zat, kon hij die jongens altijd om een boodschap sturen.

Maar de jongste generatie Zwart op Witters was anders dan de ouderen. Anton kende ze niet. Ze hadden kale koppen en veel piercings en ze hadden weinig respect voor de ouderen. Dat viel hem op. Vroeger had je geen grote mond tegen jongens die ouder waren. Deze jongens hadden overal schijt aan, leek het. Net als zijn eigen zoon trouwens. Billie. Die had ook overal schijt aan.

Maar dat was toch anders. Hij kon niet precies zeggen wat het verschil was.

Hij ging het clubhuis in en zag dat er alleen jonge kaalkoppen zaten. Het zag blauw van de rook. Sommige jongens dronken bier, hoewel dat pas mocht als je zestien was. Nou ja, daar hield hij zich vroeger ook niet aan. De leider van de jonge kaalkoppen heette Boy.

'Hé,' zei Boy. 'Je bent te vroeg man. We hadden afgesproken dat je pas op het eind van de week zou komen. We hebben nog drie dagen de tijd om die zwerver uit zijn huis te krijgen.'

'Klopt,' zei Anton. 'Maar ik heb gehoord dat jullie een jongen hebben ontvoerd om die ouwe knar weg te krijgen. Is dat waar?'

Boy keek hem verbaasd aan. 'Hoe weet je dat? Dat is puur geheim man.'

'Dus het klopt,' zei Anton, met ingehouden woede.

'Oké, ik zal het je vertellen man. We hadden gisteren mot met een dik klootzakje. Die knaap heeft een paar van onze beste mensen beschadigd. Dus toen heb ik G, mijn broer, gevraagd om die vetklep te ontvoeren. Lachen man. En nou schijten zijn vrienden in hun broek, man. En die vrienden zijn dus weer vrienden met die ouwe zwerver. Heb je de picture, man? Om negen uur vanavond is die ouwe lul uit zijn huisje. Ik zweer 't je.'

'En waar zit die eh... gijzelaar?' vroeg Anton.

'Die zit hier in de voorraadkamer. Wil je 'm zien? Die knaap is echt vet man. Dubbelbil, noemen ze 'm. We hebben 'm lekker ingepakt.

En hij heeft al vier uur geen kruimel gegeten. Dat zal 'm leren om z'n grote bek te houden. Respect man. Daar heeft die gast nog nooit van gehoord. Ik zou z'n ouders wel 'ns willen zien, man.

Honder procent aso. Zeker weten.'

'Weet je wie die gast is!?' Anton kon zich niet langer inhouden.

'Billie Turf, Miss Pikkie, ik zou 't niet weten man.'

'Het is mijn zoon, idioot. Je hebt mijn zoon ontvoerd en opgesloten.

Weet je wat ik met jou en je breindooie vriendjes ga doen? Ik ga jullie...'

Boy begon keihard te lachen. Ook de andere kaalkoppen barstten in lachen uit. 'Man, dat geloof je zelf niet. Ben jij de vader van die bolle drol? Vast wel. Jullie lijken sprekend op elka...'

De laatste zin was de druppel die de emmer voor Anton deed overlopen. Ze mochten veel over hem zeggen en hij kon een heleboel hebben. Maar niet dat hij sprekend op zijn zoon leek.

Dat was een regelrechte belediging. Hij pakte Boy bij zijn oor en draaide er zo stevig aan dat de jongen het uit-schreeuwde van de pijn. 'Nog één woord en ik ruk die ringen stuk voor stuk uit je kop. Laat me zien waar je Billie hebt ver-stopt.' Hij keek de andere jongens dreigend aan. Niemand was van plan om hun leider te helpen. Het was trouwens toch de hoogste tijd om naar huis te gaan, vonden ze. Het was een leuke middag geweest, maar Boy moest zijn eigen shit oplossen. Daar ben je tenslotte de baas voor.

Anton sleurde Boy aan zijn oor mee naar de voorraad-kamer.

'Laat me los man. Ik wijs je de weg wel.'

Anton liet zijn oor los en Boy ging hem voor door een lange gang, die onder de hoofdtribune liep.

Toen ze bij de voorraadkamer waren, haalde Boy met trillende handen de sleutel uit zijn zak en probeerde hem in het slot te steken.

Omdat het niet onmiddellijk lukte, pakte Anton hem de sleutel af en draaide zelf het slot open. Hij stapte de ruimte in en deinsde even terug vanwege de bedorven lucht in de voorraadkamer. 'Billie', dacht hij. Dat was zijn laatste gedachte, want op dat moment kreeg hij een klap met een hard voorwerp op zijn hoofd.

Boy zag Anton vallen en maakte van de gelegenheid gebruik om zich als een speer uit de voeten te maken. Hij begreep niet hoe die vetklep zichzelf had kunnen bevrijden, maar hij begreep wel dat die klap voor hem was bedoeld.

Een paar dagen later zaten Hannes, Donna en Dubbelbil op de tribune van het oude stadion. Het was een half uur voor de training zou beginnen. Dubbel had zijn vrienden nog een keer in geuren en kleuren beschreven hoe zijn ontvoering was verlopen. Hannes en Donna hadden opnieuw verteld hoe de bruiloft en de eerste training waren verlopen.

De vader van Dubbelbil had bijna een kwartier voor pampus gelegen in de voorraadkamer. In die tijd had Dubbelbil met de telefoon van zijn vader Donna gebeld. Oma Eefje had meteen een taxi besteld, omdat ze niet durfde te rijden na dat biertje.

Toen zijn vader bijkwam, lag hij al in een ambulance en werd met loeiende sirenes naar een ziekenhuis gebracht.

Oma Eefje had haar dochter Pia gebeld en gezegd dat ze haar man in het ziekenhuis kon opzoeken.

Daarna was ze met Coach, Billie, Hannes en Donna gaan eten in het restaurant van het stadion. Tenslotte was het nog steeds de dag van haar huwelijk.

'Weet jij een goeie naam voor ons team?' vroeg Donna.

'Boys?' lachte Dubbelbil. 'Of Wit op Zwart. Ik moet er even over nadenken.'

'Heb je nog iets van Freddy gehoord?' vroeg Hannes aan Donna.

'Hij heeft jouw mail-adres toch.'

'Nee,' zei Donna. Misschien moeten we hem opzoeken. Dubbel kan er wel achterkomen waar hij woont.'

'No problem. Hij woont toch in die Villawijk en hij heet Freddy?

Dat lijkt me voldoende.'

De andere jongens druppelden langzaam het stadion binnen. Iedereen wilde kennelijk ruim op tijd zijn. Donna was de enige die al was omgekleed. Ze had thuis haar keeperskleren aangetrokken met het trainingspak.

'Ik heb geen zin in dat gezeur van Driss en Bouki. Als die jongens van hun geloof niet met meisjes in een kleedkamer mogen, moet je daar respect voor hebben,' vond ze.

Dubbelbil was het er natuurlijk niet mee eens. 'Wat een flauwekul.

Ze zitten toch ook bij meisjes in de klas? Ze gaan zelfs naar het zwembad om meiden te pesten. Dat mag zeker wel van hun geloof?'

Punter kwam naar Dubbelbil toe. 'Hé Billie, waar was je, afgelopen woensdag?'

'Ik ben ontvoerd door G. en de kaalkoppen, maar ik heb me geheel op eigen kracht kunnen bevrijden.'

'Maak dat je grootje wijs,' lachte Punter. 'Dat is trouwens wel een onwijs gaaf mens, jouw oma.'

Sjon en Johnnie knikten, zoals gewoonlijk als Punter iets zei.

'Doe jij ook weer mee?' vroeg Punter aan Hannes.

'Die toon van jou bevalt me niet,' zei Dubbel. 'Je hebt 't

wel tegen de aanvoerder van het team dat na vanmiddag een echte naam zal krijgen.'

'Moet dat kereltje aanvoerder zijn? Ik dacht 't niet. Bij de F-jes misschien.' Punter maakte een wegwerpgebaar. 'Heeft-ie ook de naam bedacht? FC Krullebal.'

Sjon en Johnnie lachten. Donna keek hen kwaad aan.

Quincy had meegeluisterd. 'Volgens mij is Hannes een goeie voetballer. Hij moet nog wennen aan een groot veld en aan zijn nieuwe schoenen en aan die lelijke punters van jou.'

Hannes keek hem dankbaar aan, maar hij geloofde geen woord van wat Quincy zei. Het liefst was hij op de tribune blijven zitten bij Dubbelbil. Hij had de laatste nachten slecht geslapen. Alle ballen die hij op de training had gekregen schoten door zijn hoofd. In bed wist hij precies hoe hij ze moest stoppen of voorzetten. Op het veld was het anders. Heel anders dan op het pleintje voor de kerk, of in de gymzaal naast school. Hij sjokte achter de andere jongens aan om zich om te kleden. Zijn vader was nog steeds niet thuisgekomen en zijn moeder zei geen woord. Dat laatste was gunstig, want ze vroeg ook niet wat hij ging doen en of hij al piano gespeeld had. Sinds zijn vader weg was, had ze niet één keer met keukenhandschoenen door het huis gelopen. Ze maakte het eten en liet de borden en pannen vuil in de gootsteen staan. Ze deed de was niet meer en ze vroeg nooit of Hannes niet wilde spetteren op de wc. Het leven zag er opeens heel anders uit, maar het was niet echt leuker geworden.

Coach ging vandaag een echte training geven.

Hij liet de jongens rond het veld lopen en daarna korte sprintjes trekken. Toen moesten ze achter elkaar met de bal aan de voet tussen een aantal pionnen slingeren. Dribbelen. De enige die dat echt goed kon was Attakus. Het leek of de bal aan zijn schoen gekleefd zat. Ook Driss en Bouki waren niet slecht. Hannes had moeite met de oefening. Hij speelde de bal met de binnenkant van zijn voet langs de pionnen. Daardoor kon hij geen snelheid maken en struikelde hij telkens over de bal.

'Gebruik de buitenkant Hannes,' riep Coach, die hem zag knoeien. Dat was natuurlijk de oplossing. Je moest de bal met de buitenkant drijven en met de binnenkant sturen. Hij had het door. Het was alsof hij opeens een som snapte in de klas. Alleen was dit leuker. Hij was nog niet zo goed als Driss en Bouki en hij zou nooit zo goed worden als Attakus, maar hij kwam heel mooi langs de pionnen. In tegenstelling tot Punter. Die bleef de bal houterig wegschoppen en kon hem met geen mogelijkheid soepel langs de pionnen spelen.

De volgende oefening was stoppen en doorpassen. Coach zette de jongens in twee rijen op tien meter van elkaar en gaf zelf de eerste bal aan. Stoppen en passen naar de overkant. De jongen recht tegenover de eerste stopt en schiet naar de tweede aan de overkant in de rij. Ondertussen had Coach de volgende bal alweer geschoten.

De oefening werkte voor geen meter. Na de derde of vierde pass was de bal volledig de weg kwijt, waardoor er iemand achteraan moest en de rij niet meer goed stond. De laatste jongens in de rij kregen geen bal. Dus floot Coach de oefening af en maakte drie kringen van vijf jongens. Ook nu moesten ze de bal stoppen en overschieten naar de buurman van de jongen van wie ze bal hadden gekregen. Dat ging beter, tenminste in de kring waar Hannes stond.

Coach liet ze de bal met rechter- en linkervoet stoppen

en met de rechter- en linkervoet schieten. De meeste jongens waren stijf rechts en gebruikten hun linkerbeen alleen om te lopen.

Hannes had eindeloos tegen muurtjes geschoten met zijn bal, niet alleen met zijn rechter-, maar ook met zijn linkerbeen. Zijn linker was minder goed dan het rechterbeen, maar het was geen chocoladebeen, zoals Karel het noemde.

Karel was bezig met Donna. Hij liet haar hoge ballen uit de lucht plukken en hij leerde haar hoe ze de bal uit haar handen kon schieten.

'Hannes zegt dat je de bal moet uitgooien, omdat je dan veel beter kunt mikken.'

Karel knikte. 'Dat is zo, maar er zijn niet veel keepers die heel ver kunnen gooien. Daarom moet je ook leren uittrappen. Als je ziet dat één van je spitsen vrij staat, moet je de bal over de middellijn kunnen krijgen.'

Hij leerde Donna hoe je de bal het best kon raken en dat gingen ze oefenen. Eerst op een korte afstand van elkaar en daarna steeds verder.

'Waarom ben jij eigenlijk keeper geworden, Karel?' wilde Donna weten toen ze even een pauze hielden. Karel moest af en toe een pauze houden, tenslotte was hij zo oud als haar opa.

Donna kon zich niet voorstellen dat haar echte opa met haar op het veld stond te voetballen. Opa zat alleen maar in een stoel en las dikke boeken over de oorlog, hij rookte stinksigaren en keek naar saaie programma's over de natuur.

'Tja,' zei Karel. 'Waarom ben ik keeper geworden? Dat is een gek verhaal. Eigenlijk wilde ik, zoals iedere jongen, lekker voetballen.

De meeste jongens vinden er niks aan om op goal te

staan. Je hebt de helft van de tijd niks te doen en dan komt er opeens een bal aangevlogen. Als je die doorlaat, schelden de anderen jou de huid vol. Lekker is dat. Nee, ik vond het niks. En ik kon ook behoorlijk voetballen. Er zijn jongens die niet zo goed kunnen voetballen en daarom op goal staan. Dat was bij mij niet het geval.

Ik stond in de spits en ik maakte heel wat doelpunten. Ik was een jaar of veertien, vijftien. We hadden een heel goed elftal. Jantje Beck stond stopper en we werden elk jaar kampioen in onze afdeling. Er was al 'ns een keer iemand van de bond komen kijken en Jantje en ik werden uitgenodigd voor een selectie-elftal van de streek. Maar ja, toen kreeg ik iets met Guusje. Guusje zat bij ons in de klas en ik had gevraagd of ze een keer wilde komen kijken als we moesten spelen. Dat wilde ze wel.'

Donna keek Karel met grote ogen aan. 'Was ze verliefd op jou?'

'Dat weet ik niet. Dat vroeg je niet in die tijd. Maar ik dacht wel dat ze me leuk vond, anders kwam ze niet kijken. En ik was op haar, dat wist ik wel.'

'En toen,' zei Donna, 'toen scoorde je zeven doelpunten en...'

'Nou ja, zo ging het natuurlijk niet. Eerlijk gezegd raakte ik geen bal, omdat ik voortdurend naar de kant keek om te zien of Guusje wel naar mij keek. Ze stond achter ons doel en ik zag dat ze de hele tijd met onze keeper sprak. Het was een dikke jongen, die niet kon voetballen en niet kon keepen. Dat was ook niet nodig. Meestal waren we zoveel beter dan de tegenstander, dat ze niet op onze helft kwamen. De keeper was wel heel grappig, net als jullie vriend Dubbelbil. Guusje vond hem ook leuk en moest voortdurend om hem lachen. Ik zag dat van een afstand en daardoor raakte ik geen bal meer.'

'Je was jaloers.'

'Precies. Stom hè. Maar ja, je bent jong en zo gaat dat. Dus ik dacht, die Guusje neem ik niet meer mee. Dat is niks. Maar de volgende week wilde ze weer mee, ze vond het hartstikke leuk.

Wat ik toen gedaan heb, was niet zo aardig. Ik ben naar de keeper gefietst en ik heb gezegd dat de wedstrijd was afgelast. Dus hadden we geen keeper en daarom meldde ik me als vrijwiller om in het doel te staan. Niemand wilde in doel. Ik zei dat ik een lichte blessure aan mijn been had.'

Karel lachte. 'Ik ben nooit meer uit doel gegaan. Die andere keeper vond het prima dat hij niet meer hoefde en ik vond het leuk om lekker door het doel te vliegen. Ik was een echte showdoelman.'

'Je wilde indruk maken op Guusje,' wist Donna.

'Tuurlijk. Maar ik vond het ook echt leuk, dat keepen.'

'Vond Guusje het ook leuk?'

'We zijn meer dan veertig jaar getrouwd. Ik denk het wel.'

Na de training wilden ze allemaal weten welke naam Dubbelbil had bedacht voor het team.

'De Beck Streetboys.' Dubbelbil keek tevreden rond.

'Zoals die band?' vroeg Hannes.

'Maar dan met een e,' legde Dubbel uit.

'Cool,' zei Punter.

'Dope,' zei Quincy.

'Flex,' zei Attakus.

Ze waren opeens de Beck Streetboys. Dat was geregeld.

15. Omhaal

Oma Eefje was naar het kantoor van haar schoonzoon gegaan.

Het kantoor van Anton zat op de hoogste verdieping van een groot gebouw aan de rivier. De juffrouw bij de receptie vroeg of ze een afspraak had met de heer Van Dieren. Nee, dat had oma niet. Ze moest even met hem praten, daar hoefde ze geen afspraak voor te maken.

'Meneer Van Dieren heeft helaas geen tijd,' zei de juffrouw pinnig.

'Hij zit in een vergadering en hij moet onmiddellijk daarna naar een belangrijke bespreking. Ik kan jammer genoeg niets voor u doen, maar ik zal zeggen dat u bent geweest. Hoe was uw naam precies?'

'Waar is die vergadering?' vroeg oma vriendelijk.

'Op de vijfde verdieping in de Metselzaal,' zei de juffrouw. 'Waarom wilt u dat weten?'

Oma Eefje had zich al omgedraaid en liep terug naar de lift.

Ze ging naar de vijfde verdieping en zocht de Metselzaal. Die was niet moeilijk te vinden. Ze deed de deur open en zag dat de zaal verduisterd was. Ze ging snel naar binnen en sloot de deur achter zich. Op een groot scherm werd een met de computer gemaakt filmpje getoond van een aantal hoge kantoorgebouwen. Een stem vertelde dat dit nieuwe project 'Stadion' heette. Alles wat de dames en heren zagen, was bedacht door een beroemd architectenbureau in opdracht van Dear Projects, het bedrijf van Anton van Dieren, de bekende bouwer.

Het licht ging aan. Oma Eefje was achter in het zaaltje gaan zitten, waar zo'n vijftig mannen en een paar vrouwen in gezellige stoelen hadden plaats genomen. Van de eerste rij stond iemand op. Het was Anton zelf. Hij kuchte, nam een slokje water en vertelde de dames en heren dat ze een mooie kans hadden om veel geld te verdienen.

Het enige wat ze moesten doen was hun spaargeld in zijn prachtige bouwproject steken. Nadat hij was uitgesproken vroeg hij of er nog vragen in de zaal waren.

Oma stond op. 'Meneer Van Dieren. Ik heb gehoord dat op de plek waar u die prachtige kantoren gaat bouwen, nu nog het oude stadion staat.'

Haar schoonzoon keek de zaal in en zag oma Eefje achterin staan. Hij schrok zo erg dat hij bijna zijn glas water op de grond gooide.

Hoe kwam zijn schoonmoeder hier? Hij had Pia gisteren nog gevraagd wat haar moeder bezielde om zich in te laten met die ouwe zwerver in het huisje bij het stadion. Pia had hem toen, tot zijn stomme verbazing, verteld dat haar moeder met die man getrouwd was. Ze waren getrouwd door de burgemeester zelf. Wat was dat voor een flauwekul? Het moest niet gekker worden. Hij had al genoeg ellende aan zijn kop. Zeker nadat hij door zijn bloedeigen zoon met een colaflesje op diezelfde kop was geslagen.

'Het is een prachtige plek, met een rijke geschiedenis,' vervolgde oma. 'Veel vaders hebben daar met hun zonen mooie uren beleefd. En de laatste jaren gingen er steeds meer vrouwen naar het stadion. Ook meisjes houden van voetbal.'

De mensen in de zaal hadden zich allemaal omgedraaid en keken haar belangstellend aan.

'Een stelletje nozems dat zich voetbalsupporter noemde, vond het voetbal niet interessant genoeg en verpestte het met hun gedrag voor de echte supporters. Door die idioten was het oude stadion niet meer veilig genoeg, omdat er alleen maar staanplaatsen waren. Daarom moest er een nieuw stadion worden gebouwd, met overdekte zitplaatsen en mooie plaatsen voor zakenmensen die vroeger nooit naar het voetbal gingen. Voor de gewone supporters werd het niet gezelliger in het nieuwe stadion. Wel veel duurder. En dat alleen maar omdat een klein clubje jongens het leuker vond om te vechten dan om naar het voetbal te kijken.'

De mannen in de zaal knikten instemmend. Het waren allemaal keurige mannen met pakken en dassen.

'En het grappige is,' zei oma, 'dat de voorzitter van die club vandalen...'

'Mevrouw, mag ik u vragen wat uw bedoeling precies is?'

Anton van Dieren begreep opeens welke kant zijn schoonmoeder op wilde. Hij moest ingrijpen, voordat ze aan de mensen in de zaal kon vertellen dat hij niet alleen de bouwer van het nieuwe stadion was, maar jaren daarvoor ook de aanvoerder van de hooligans.

Die twee zaken hadden natuurlijk niets met elkaar te maken. Maar als zijn schoonmoeder ze met elkaar in verband bracht, geloofde niemand in de zaal zijn mooie verkooppraatje.

'Meneer Van Dieren, mijn bedoeling is om de mensen hier te vertellen dat u een groot voetbalhart hebt. Ik heb begrepen dat u van plan was het oude stadion af te breken en er een parkeerplaats van te maken, totdat u genoeg geld hebt verzameld om er uw prachtige kantoren te bouwen.'

Anton voelde aan de bult op zijn hoofd. Wat wilde dat mens van hem? Daar kwam hij snel genoeg achter.

'Maar u hebt zich bedacht,' zei oma. 'U vindt, net als iedereen hier waarschijnlijk, dat er voor de jeugd in de binnenstad te weinig ruimte is om te voetballen. Daarom hebt u besloten het stadion nog niet af te breken. U geeft een groep kinderen de gelegenheid om er nog een tijd gebruik van te maken. Kinderen met minder kansen in het leven dan die van u en die van mij. Dat is heel nobel van u.' Oma ging zitten.

De dames en heren in de zaal draaiden zich om en klapten in hun handen. De vader van Dubbelbil stond erbij en wist niet wat hij moest zeggen. Hij kon zijn schoonmoeder wel door de wc spoelen.

Waar bemoeide die breinaald zich mee? Hij begreep dat ze hem lelijk te pakken had genomen. Hij kon nu niet meer zeggen dat het niet waar was. Dan zou niemand van deze rijke mensen geld steken in zijn nieuwe bouwplannen. Hij moest gewoon meespelen en doen of hij alles zelf had bedacht. Dat was het beste.

Later kon hij zijn schoonmoeder op haar donder geven. Toen Hannes thuiskwam, zag hij onmiddellijk dat er iets niet in orde was. Er stonden een paar buurvrouwen voor de deur en binnen was het een enorme puinhoop. Het hele servies lag door de keuken. De glazen, de borden, de pannen. De jampot en de pindakaas waren tegen de muur gesmeten. Er was een grote ruit gesneuveld en de dvd's en cd's waren uit de kast gerukt. De tv lag op zijn kop.

Midden in die puinhoop zat zijn opa. Hij keek Hannes ernstig aan.

'Nou jongen, je ziet wel, het was vandaag gehaktdag. Je vader is vanmiddag thuisgekomen en toen hebben je ouders een stevig gesprek gehad. Ik ben blij dat ik niet in de vuurlinie lag.'

Hannes knikte. 'Waar zijn ze nu? Papa en mama?'

'Je vader is naar het ziekenhuis gebracht met een nare hoofdwond en een zware hersenschudding en je moeder ligt in bed met een paar pillen. Ze is een beetje in de war. De dokter heeft gezegd dat ze een tijdje moet worden opgenomen.'

Beetje. Tijdje. Dat waren woorden die volwassenen tegen kleine kinderen gebruikten om ze gerust te stellen. Het stelde Hannes helemaal niet gerust. Zijn moeder was niet een beetje in de war, ze was ernstig gestoord. En zijn vader had geen zin meer in een gestoord mens. Zo lagen de zaken. Dat zag hij zelf ook wel.

Het mooie gevoel dat hij had van de training was in een paar minuten verdwenen.

'Het beste is dat jij bij je opa en oma komt logeren. In ieder geval tot je vader weer hersteld is.'

Bij zijn opa en oma? Wat moest hij daar? Ze woonden in een dorp, bijna honderd kilometer van de stad. Een dorp waar geen bal te doen was. Hij wilde gewoon naar

school en naar de training en met Donna en Dubbelbil...
Zijn opa was prima, maar oma leek erg op zijn moeder.
Hij had helemaal geen zin om naar zijn opa en oma te
gaan. 'Kan ik niet hier blijven, tot papa uit het ziekenhuis
komt? Of dat jullie hier komen logeren.'

'Ik denk niet dat het een goed idee is om jou hier alleen
te laten en je weet dat oma een hekel heeft aan logeren.
Ze is met geen stok de deur uit te krijgen. En ik kan zelf
nog geen ei bakken, dus is het beter dat jij bij ons komt.
Het is misschien maar voor een paar weken.'

Een paar weken, dat duurde vreselijk lang. Dat waren
in ieder geval zes trainingen. Dat kon gewoon niet, hij
moest iets verzinnen.

'Ik moet naar school. Ik kan echt niet een paar weken
missen, anders kan ik niet naar het athenaeum.'

'Dat zal toch wel meevallen,' bromde zijn opa. 'Jij bent
slim genoeg en oma en ik kunnen je ook nog een paar
dingen leren.'

'En ik zit op voetbal. We moeten keihard trainen.'

'Zo. Dat is mooi. Sinds wanneer? Ik dacht dat je moeder het niet goed vond.'

'Mama weet het niet. Het komt omdat ik Coach ben tegengekomen.

We heten de Beck Streetboys en we spelen misschien
tegen een selectie van het Nederlands elftal.'

Zijn opa schudde zijn hoofd. 'Ach joh, het zijn maar
een paar weken. Toen ik vroeger...'

Hannes luisterde niet meer en vluchtte naar zijn kamer, waar hij op zijn bed viel. Hij wilde huilen omdat hij
medelijden met zichzelf had, maar dat loste niets op. Hij
moest nadenken.

Misschien kon hij bij Donna logeren. Donna en haar
moeder woonden niet al te groot, ze hadden geen extra

slaapkamer voor hem. Dat was een probleem. Het was een beetje raar om bij Donna op de kamer te slapen. Dat hadden ze een paar jaar geleden wel gedaan, maar het kon niet meer als je bijna twaalf was.

Dubbelbil had wel een groot huis. Daar zou hij makkelijk kunnen logeren. De moeder van Dubbel zou niet eens merken dat hij bleef slapen. Het probleem was Dubbelbils vader. Die zou het niet prettig vinden als hij erachter kwam dat Hannes onder zijn dak logeerde.

En Hannes vond het ook niet grappig om die sperzieboon 's morgens in de badkamer tegen te komen.

Tja. Er bleven weinig mogelijkheden over. In het huisje van Coach en oma Eefje was geen extra kamer. En die mensen waren pas getrouwd. Daar ging je niet logeren.

Hij moest Dubbelbil en Donna spreken. Ze moesten een oplossing voor hem verzinnen. Hij ging naar het kantoorkamertje en zocht via MSN verbinding. Donna was bijna altijd online. Nu ook.

'Hoi,' schreef hij. 'Ik zit in de problemen. Mijn vader ligt in het ziekenhuis en mijn moeder moet worden opgenomen. Ik moet een paar weken naar mijn opa en oma. Heb jij een oplossing?'

'ff denke,' schreef Donna terug.

Het duurde een minuut. En toen nog een minuut.

'Je kunt bij mij logeren. Ik heb met mama gepraat. Ik ga bij haar op de kamer slapen. Jij krijgt mijn kamer. Goed?'

'Goed,' schreef hij terug met tranen in zijn ogen. Van blijdschap.

's Avonds ging Hannes met zijn opa naar het ziekenhuis waar zijn vader lag. Het zag er niet best uit. Zijn moeder had een volle pot augurken naar zijn hoofd gegooid.

'En jij wilde die pot terugkoppen,' lachte opa.

Zijn vader kon er niet om lachen. Hij zei tegen Hannes dat het hem speet dat hij een paar dagen was weggebleven. Hij had de afgelopen week pas ingezien hoe gek mama de laatste tijd deed. Toen hij dat vanmiddag voorzichtig tegen haar had gezegd, was ze vreselijk kwaad op hem geworden. Ze dacht dat hij haar in de steek wilde laten omdat hij een andere vriendin had gevonden. Dat was helemaal niet zo. Hij wilde het liefst weer gewoon thuiskomen.

Volgens de dokter was het beter dat mama een tijdje werd opgenomen, om geholpen te worden.

Hannes knikte. Zijn vader zag er behoorlijk achterlijk uit met die tulband op zijn kop. 'Ik zit op voetbal,' zei hij. 'We spelen in het oude stadion, totdat het wordt afgebroken.'

'Ik denk niet dat je vader daar nu belangstelling voor heeft,' dacht opa. 'Hij heeft wel iets anders aan zijn hoofd.'

Maar gek genoeg deed zijn vader enthousiast, voorzover dat met een hersenschudding mogelijk is. 'Wat leuk, als ik beter ben kom ik een keer kijken.'

Zijn vader had absoluut geen verstand van voetbal. Hij kende geen namen van clubs en niet van voetballers en als hij zag dat Hannes naar een wedstrijd op de tv keek zei hij standaard: 'Dat zoiets nou niet gaat vervelen, die bal heen en weer schoppen.'

Van de kleur oranje kreeg hij uitslag en als het Nederlands elftal meedeed aan een kampioenschap wilde hij het liefst een paar weken het land uit. Idioten met klompen en molens op hun harses, vond hij de supporters.

Hannes wilde dat hij met zijn vader zonder een oranje klomp op zijn hoofd op de tribune zat, zoals je in de reclame op de tv zag. Dat zou natuurlijk nooit gebeuren. Hoewel.

Misschien was die pot augurken wel goed geweest. Er was toevallig een verbinding in het hoofd van zijn vader tot stand gekomen, waardoor hij het voetbal opeens leuk vond. Dat zou toch kunnen? Je zag in films wel gekkere dingen.

Nadat ze uit het ziekenhuis kwamen, bracht opa hem naar Donna en daarna reed hij weer terug naar zijn dorp.

Opa vond het goed dat Hannes bij Donna ging logeren. Hij leek zelfs een beetje opgelucht. Ze hadden 's middags de rotzooi in het huis opgeruimd en opa had een plaat hout voor het kapotte raam getimmerd. Mama was meegenomen in een ziekenauto.

Het eerste wat Donna Hannes vertelde was dat ze contactlenzen kreeg. Karel had tegen haar gezegd dat het niet goed was om met een bril te spelen, zeker niet als je keeper was. Dus had ze haar moeder gevraagd om lenzen en vanmiddag was ze al naar de stad geweest om haar ogen te laten opmeten. Volgende week had ze lenzen.

'Cool,' zei Hannes.

Donna wilde naar een wedstrijd op de tv kijken tussen twee Engelse clubs. Dat was ook zo leuk van logeren bij Donna, ze mocht overal naar kijken. Als haar moeder iets anders wilde zien, ging ze naar de slaapkamer waar nog een tv stond. Net zo makkelijk.

Hannes keek thuis alleen naar belangrijke wedstrijden. Hij mocht één wedstrijd per week zien, dat was de afspraak.

Donna zag alles, ze kende de namen van de clubs en spelers in Duitsland, Engeland, Spanje en Italië. Zelfs de spelers van de eerste divisie in België. Als er een paar wedstrijden tegelijk waren, nam ze die op. En sinds kort had ze na lang zeuren zelfs een abonnement gekregen op Canal+ .

Hannes had al een keer op zondagmiddag om één uur een wedstrijd gezien bij Donna.

De twee Engelse clubs heetten Wolverhampton en Preston North End. Hannes kon het Engelse commentaar niet echt verstaan, maar hij begreep wel wat ze ongeveer zeiden. De commentatoren leken veel meer opgewonden dan in Nederland.

Donna leefde helemaal mee met de wedstrijd. Als een speler een schot op doel gaf, schoot haar voet ook mee. En als de keeper naar een bal dook, ging haar lichaam dezelfde kant op.

Hannes vond het moeilijk om mee te leven. Hij lette vooral op technische details. Hoe namen de spelers de bal aan? Speelden ze met de binnenkant of de buitenkant? Had de middenvelder gezien dat een voorspeler vrij stond? Van die dingen.

Eerlijk gezegd was hij doodmoe. Tijdens de tweede helft kon hij zijn ogen niet meer openhouden en viel hij op de bank in slaap.

16. Schot met de binnenkant

Dubbelbil had het adres van Freddy gevonden. Hoe hij
dat precies voor elkaar gekregen had zei hij niet, dat was
onbelangrijk.

Na school gingen ze Freddy opzoeken. Freddy woonde
in Villawijk, naast het Zomerpark. Hannes kwam nooit
in deze buurt. Hij verwonderde zich over de brede stille
straten en de enorme huizen die soms nauwelijks vanaf
de straat te zien waren. De meeste huizen hadden lange
opritten en dubbele garages. Op zo'n oprit kon je al heel
goed voetballen. De tuinen die bij de villa's hoorden leken echt op voetbalvelden, het gras was prachtig kort gemaaid. Alleen de doelen en de lijnen ontbraken. Hoewel
het na schooltijd was, zag Hannes nergens kinderen spelen.

Freddy woonde in een groot wit huis met een klein torentje. Het torentje was begroeid met klimop. Ze liepen over het grindpad naar de statige voordeur en Dubbelbil belde aan. Boven de deur zat een camera. Dubbel trok een gekke bek.

'Jullie moeten rechts om het huis lopen,' klonk de stem van Freddy opeens uit de intercom.

Ze liepen om het huis. Daar werden ze door Freddy binnengelaten in de keuken, die groter was dan de woonkamer bij Hannes thuis.

'Zijn jullie door iemand gevolgd?' vroeg Freddy. Hij klonk anders dan toen Hannes hem voor het eerst had gezien. Netter, alsof hij zijn stem had aangepast aan de omgeving. Hij zag er trouwens ook anders uit. Hij droeg Nikes, een Ralph Lauren shirt en een Diesel.

Van de stoere kaalkop was weinig meer over. Als zijn haar weer gegroeid was, zou Hannes hem op straat niet meer herkennen.

'Door wie moeten we gevolgd zijn?' wilde Dubbel weten.

'Wat denk je? Door Boy of een van zijn vrienden. Of door zijn broer.'

'Ik dacht dat ze zich wel even gedeisd zouden houden, na die ontvoering van Dubbel,' zei Donna. 'Zijn vader wil niet dat ze nog in het clubhuis van Zwart op Wit komen.'

'Dan ken je Boy niet. Die is nu echt link. En hij vindt dat ik de oorzaak ben van die mislukte actie. Over een paar weken kan ik naar dat internaat in België. Tot die tijd moet ik me verstoppen.

Ik heb de school gebeld met de stem van mijn vader en gezegd dat ik ziek ben. Mijn ouders gaan altijd heel vroeg de deur uit.

Daarna zit ik de hele dag in mijn hut boven de garage.

Vanwege de werkster en de tuinman. In die hut staan een bed en een ouwe tv.

En ik neem mijn laptop mee, zodat ik online ben.'

'Flex,' zei Dubbelbil. 'Maar je eten enzo? Je zult toch wel honger hebben?'

'Er staat een kleine koelkast. Daar zit van alles in. En de ouwe magnetron. Die doet het nog prima, maar hij paste niet meer in de nieuwe keuken. Ik neem altijd een paar dingen uit de vriezer mee.'

Hannes keek rond in de keuken. Het zag er strak en schoon uit, zoals in een tijdschrift. Het leek of er nooit in gekookt werd.

'Als je online bent kun je zien waar Boy mee bezig is,' dacht Donna hardop.

'Nee dus. Boy is niet gek. Ze hebben allemaal een nieuw adres. Ik weet niet wat ze uitspoken. Gelukkig weten ze niet waar ik woon. Behalve één jongen. Dicky. Dat is een echte loser. Hij wilde bij onze club horen, maar hij mocht zijn kop niet kaalscheren. Ik had een beetje meedelijden met die jongen, hij stotterde ook nog. Als je laat merken dat je medelijden hebt, dan denkt dat soort jongens dat je ze aardig vindt. Dus die jongen is een keer achter me aangereden toen ik naar huis ging. Ik had het eerst niet door. Op een gegeven moment haalde hij me in. F-f-freddy.'

'Doe niet zo lullig,' zei Donna. Ze had altijd te doen met zielepieten. Of het nou lelijke hondjes waren of kinderen.

'Sorry. Nou ja. Ik wilde naar huis en die Dicky bleef maar meerijden, tot ik zei dat hij moest opdonderen omdat ik geen zin had in zijn gezeur. Als hij bij onze club wilde horen moest-ie gewoon zijn kop kaalscheren. Zo simpel was dat. Toen zei hij dat-ie tegen zijn vader kon zeggen dat een stel jongens hem te grazen had genomen en hem had kaalgeschoren. Dat lijkt me een slim plan, zei ik. Maar toen had-ie weer geen geld om naar de kapper te gaan, dus of ik het misschien wilde doen? Tjeezis.'

'En heb je dat gedaan?' vroeg Hannes.

'Heel diep van binnen ben ik een goed mens,' lachte Freddy. 'Ik zei dat ik het wel wilde, als hij maar nooit zou vertellen dat ik het had gedaan en ook niet waar ik woonde.'

'Nu ben je bang dat hij het vertelt,' wist Dubbel. 'Om Boy een dienst te bewijzen en om een goeie indruk te maken op de andere jongens.'

Freddy knikte.

Ze zwegen.

'Heb je toevallig iets te eten in huis?' vroeg Dubbel. 'Of is dit geen echte keuken? Zo te zien wordt er niet veel gekookt.'

'Alleen in het weekend. Mijn ouders gaan 's morgens vroeg weg en komen 's avonds laat thuis. Tot vorig jaar had ik altijd een oppas, maar dat wilde ik niet meer. Tante Jos. Die was nog strenger dan mijn moeder.'

Freddy trok een deur open die naar een enorme voorraadkamer leidde. Het leek op de buurtsuper van meneer en mevrouw Lim.

Dubbelbil liep naar binnen alsof het normaal was en zocht naar zijn favoriete merk chips. 'Heb je geen creamonion?' vroeg hij, alsof de tien soorten die er stonden niet genoeg waren.

'Ik denk dat die op zijn,' antwoordde Freddy, serieus.

'Grapje,' zei Dubbel en nam zes familiezakken chips mee. 'Gaan we naar je hut of blijven we hier?'

De 'hut' van Freddy boven de garage was van alle ge-

makken voorzien en zo groot dat er makkelijk een asiel-
zoekersgezin kon wonen. Het leek Hannes geen straf om
hier een paar dagen te zitten.

Er stond een rij video's van voetbalwedstrijden en toer-
nooien van twintig, dertig jaar geleden.

'Allemaal ouwe banden,' legde Freddy uit. 'In huis heb
ik ze op dvd. Veel mooier en je kunt elk spelmoment
haarscherp bekijken.

'We moeten een plan maken voor Freddy,' zei Hannes.
'Ik vind dat hij niet naar België moet. Hij moet bij ons komen voetballen.'

Het leek hem te gek om een vriend te hebben met wie
hij over spelmomenten kon praten. Met Dubbel kon hij
niet over voetbal praten en Donna wist alles over spelers
en over clubs, maar niet veel over techniek en tactiek. En
als Freddy echt zo goed speelde als hij beweerde, was dat
niet slecht voor de Beck Streetboys.

'Als ik tegen mijn vader zeg dat ik mijn best ga doen en
dat ik terug wil naar het athenaeum...' dacht Freddy
hardop. 'Misschien hoef ik dan niet naar België. Maar als
hij merkt dat ik gespijbeld heb en me heb ziek gemeld
met zijn stem, wordt hij bloedlink en dan kan ik 't wel
vergeten.'

'Boy Wessels,' zei Donna. Ze had een tijdje naar buiten
gekeken.

'Dat is jouw probleem. Daarom kun je niet naar school
en daarom kun je niet met ons meespelen.' Ze kneep
haar ogen dicht om zich te concentreren. 'Zijn oom is po-
litie-agent. Zijn broer heet Gerard. Dat is een stomkop.
Als we iets willen van Boy moeten we Gerard inpakken.
Hoe doen we dat? Waar is Gerard gevoelig voor? Waar
zijn jongens van achttien gevoelig voor?'

'Meiden,' zei Dubbel. 'Vertel me niks. Ik heb een paar

neven van die leeftijd. Het enige waar ze over praten is over meiden. Mokkels, stoten, lekkere wijven. Dat is ongeveer de tekst.'

Hannes vroeg zich af of hij ook over meiden moest praten als hij ouder was. Waarom kon je niet gewoon over voetbal blijven praten?

Wat kon je nou over meisjes zeggen? Hij wilde niet ouder worden.

Oud en groot genoeg om een goeie voetballer te kunnen zijn. Dat wel natuurlijk.

'Tja,' zei Donna. Sinds ze geen piloot meer wilde worden, voelde ze zich een stuk volwassener. Ze kon zich bijna niet meer voorstellen dat ze kort geleden nog kinderachtig heen en weer vloog. Belachelijk. Maar ze was nog lang geen lekker mokkel waar een jongen van achttien belangstelling voor zou hebben.

'Heb jij geen zus of zo?' vroeg ze aan Freddy.

'Ik heb wel een zus, maar die is vorig jaar het huis uit gegaan. Ze studeert ergens, in Engeland.' Hij haalde een foto tevoorschijn waarop een meisje stond dat kennelijk zijn zus was. Ze leek op hem.

'Lekker,' vond Dubbelbil.

Donna keek hem verbaasd aan. 'Heb jij opeens verstand van meisjes?'

'Ik had het over deze nieuwe soort Pringles. Maar misschien kunnen we van Freddy wel een lekker wijf maken. Is dat wat?'

'Hoe bedoel je?' vroeg Freddy.

'We verkleden jou als je zus en dan kun je naar buiten zonder dat iemand ziet dat jij het bent.'

'Big deal, wat heb ik daar aan? Ik kan toch moeilijk als meid verkleed naar school of naar jullie training?'

'Gerard,' zei Dubbel. 'Het gaat er om dat jij met de

broer van Boy slijmt en dat je hem vertelt dat als hij jouw broertje ook maar met één vinger aanraakt, dat jij dan niets meer met hem te maken wil hebben.'

'Dat kan ik even niet volgen. Moet ik doen alsof ik mijn zus ben en dan die idioot van een Gerard versieren...?'

'Je hebt een hoge stem,' zei Dubbelbil. 'En je hebt het gezicht van je zus. Heeft je zus nog wat kleren achtergelaten?'

'Kasten vol. Maar ik ga echt niet in vrouwenkleren op straat lopen. Mooi niet. Bekijk 't maar.'

'We hebben een goeie pruik nodig,' zei Donna. 'Een pruik is het allerbelangrijkst. Gelukkig heb je een kale kop. Daar past alles overheen.'

'Jullie begrijpen het niet. Ik wil niet. Ik ga nog liever naar een kostschool in België dan met die enge Gerard...'

Hannes keek hem strak aan. 'Je durft niet hè? Je durfde wel met een kale kop en een zwart jack over straat te lopen en stoer te doen tegen jonge kinderen en oude mensen. Maar dat was natuurlijk omdat je met een hele groep was. Jongens zoals jij durven alleen dingen als ze in een groep zitten.'

Freddy keek van Hannes naar Dubbelbil en toen naar Donna. Ze keken zwijgend terug.

'Oké, je hebt gelijk. Het is laf. Het liefste wat ik wil is met jullie meedoen. Als dit de beste oplossing is...'

Oma Eefje had niet stilgezeten. Nadat ze haar schoonzoon had overvallen tijdens de vergadering, had ze lang nagedacht over de toekomst. Wat ging er met Hannes en zijn vrienden gebeuren als het oude stadion over een half jaar echt dicht moest en afgebroken werd? Een aantal kids van het team zou naar een voetbalclub gaan, en als ze talent hadden misschien naar Sportclub. Maar de anderen zouden weer zijn aangewezen op de mogelijkheden in de buurt.

En trouwens, als je wilt voetballen, wil je dat elke dag doen. Niet alleen twee uurtjes in de week trainen en een wedstrijdje op zaterdag.

Daar dacht oma lang over na en ze kwam er niet uit, totdat ze met Coach en Karel in café de Sport zat. De mannen keken het liefst naar een voetbalwedstrijd in het café, samen met hun oude makkers. Glaasje bier bij de hand. En lekker kankeren op verkeerde opstellingen en foute wissels, lachen om gemiste kansen en juichen om prachtige doelpunten. Heerlijk. Het waren net kleine jongens, vond oma.

Haar eerste man keek niet naar voetbal. Het was een lieve man, maar wel een beetje saai. Hij hield van vissen. Hengelen.

Hij kon urenlang aan de rivier zitten met zijn hengel en naar de dobber kijken. Ze was wel eens met hem mee geweest, maar het was haar ding niet, vissen. 'Waar denk je de hele tijd aan?' vroeg ze hem af en toe. Meestal haalde hij zijn schouders op. Hij hield niet van praten, zeker niet als hij zat te vissen. Eén keer had hij haar verteld waar hij aan dacht. 'Ik denk aan waar alles vandaan komt en waar alles naar toe gaat.' Ze hoopte dat hij haar wilde vertellen of hij daar al achter gekomen was. Maar er kwam niets meer. Hij bleef naar zijn dobber kijken en oma besloot om hem nooit meer lastig te vallen met haar belangstelling.

De goeie man was al tien jaar dood. Van het één op het andere moment was hij verdwenen, zoals een dobber in het water. Ze had verdriet gehad, maar gek genoeg was ze ook opgelucht geweest.

Ze voelde zich vrij en ze kon doen waar ze zin in had, zonder dat ze rekening hoefde te houden met iemand.

Coach was het tegenovergestelde van haar eerste man. Hij was altijd een jongetje gebleven, een voetballer. Als ze hem op het veld zag staan, wist ze precies hoe hij vroeger was geweest.

Driftig en teleurgesteld. Maar ook blij en enthousiast. Hij hield niet van verliezen, maar als hij niet gewonnen had bleef hij niet lang treuren. Volgende week was er weer een wedstrijd.

Oma hield van ballet. Dat was mooi om naar te kijken. Mannen en vrouwen die je het gevoel gaven dat de zwaartekracht niet bestond.

Ze wist ook wel dat Billie nooit balletdanser zou worden. Dat was een grap tussen haar kleinzoon en haar. Ze begrepen elkaar.

Ze vond het best dat Billie met haar geld chips kocht, tenslotte had hij het thuis niet bepaald getroffen. Met een vader die alleen aan geld verdienen dacht en een moeder die alleen aan geld uitgeven dacht.

Het was rust geworden bij de wedstrijd waar Coach en zijn vrienden naar keken.

Tussen de reclame door werd er commentaar op de eerste helft gegeven door Johan Cruijff. Onmiddellijk werd het stil, iedereen spitste de oren om niets van Cruijffs opmerkingen te missen.

'Het is heel simpel. Je kan twee dingen doen. Je kan het je tegenstander makkelijk maken en je kan het moeilijk maken. In dit geval zou ik zeggen dat het makkelijker is om het moeilijk te maken. Dat is logisch. Dan maak je het voor je zelf niet moeilijk. Want het is geen makkelijke tegenstander. Daarom is het beter om op hun helft te staan dan op je eigen helft.'

Oma moest lang nadenken voor ze begreep wat de grote meester had gezegd. Cruijff was een van de weinige voetballers die ze van naam kende. Toen Nederland in 1974 bijna wereldkampioen was geworden had ze voor het eerst een wedstrijd op de tv gezien.

'Wat doet zo'n man nou de hele dag?' vroeg ze aan Coach, toen de reclame weer begon. 'Als je geen voetballer meer bent en je hebt geld genoeg?'

'Cruijff? Die is eerst trainer geworden en nu heeft-ie een stichting voor kinderen met een handicap of zo.'

'En ze leggen kunstgrasveldjes aan in buurten waar kinderen niet kunnen spelen,' zei Karel.

Karel en Coach verdiepten zich in de tweede helft. Oma pakte een bierviltje en schreef er iets op. Daarna bestelde ze nog een pils voor de mannen en een glas appelsap voor zichzelf.

17. Schot met de buitenkant

Freddy zag er beeldig uit, vond Donna. Ze had hem geadviseerd om een kort rokje aan te doen en een zwarte panty. Daarop een truitje waar een bh onder zat die was gevuld met twee paar sokken. Donna had hem niet al te opzichtig opgemaakt. Omdat ze nog geen pruik hadden moest Freddy een sjaal om zijn hoofd knopen.

'Hoe heet je zus?' vroeg Dubbelbil, die op het bed lag.

'Claire,' zei Freddy.

'Kun je een beetje toneelspelen, Claire?'

'Niet echt, nee.'

Dubbelbil kwam langzaam overeind en zuchtte. 'Je kunt toch goed liegen, zoals toen je je ziek meldde met de stem van je vader?'

Freddy knikte. Dat was anders, dan zag niemand wie je was.

'Toneelspelen,' zei Dubbelbil, 'is geloven dat je iemand anders bent. Als je niet gelooft in de persoon die je speelt, ben je voor je publiek niet geloofwaardig.'

Hannes keek zijn vriend bewonderend aan. Waar haalde die dikke dat nou weer vandaan? Wat wist Dubbel van toneelspelen?

'Dus je moet je voorstellen dat je Claire bent, een meisje van achttien. Wat zijn je hobbies, studie, vrienden en gewoontes?

Hoe praat Claire en waarover? Hoe loopt ze, hoe fietst ze? Wat vindt ze lekker en waar houdt ze niet van? Dat is je huiswerk voor vandaag. Als we morgen terugkomen met een pruik, verras je ons met je nieuwe persoonlijkheid.'

Freddy wist even niet of Dubbelbil serieus was of een grap maakte.

Maar ze keken hem alledrie strak en ernstig aan en dus besloot hij dat het geen grap was. Hij moest zich inleven in zijn oudere zus Claire. Dat was makkelijker gezegd dan gedaan. Eigenlijk had hij nooit zo op haar gelet toen ze nog thuis woonde. Het was een oudere zus, waar je als broer niet veel aan had. Vroeger vond ze hem kinderachtig, daarna vond ze hem schattig en nu vond ze hem een vervelende puber. Ze vond het belachelijk dat hij zijn kop kaalgeschoren had en dat hij was afgezakt van het athenaeum naar het vmbo. Omdat hij geen fuck deed. Claire had één keer, in opdracht van zijn ouders natuurlijk, met hem gesproken over zijn gedrag. Dat was een kort gesprek geworden. Zij vond hem een loser en hij vond haar een bitch. Ze wilde weten waarom hij zich als een idioot gedroeg. Freddy had gezegd dat het haar geen ene rotmoer aanging. Hij wilde ook niet weten wat zij allemaal in haar leven deed. En papa en mama waren nooit thuis, so what. Als ze echt in hem geïnteresseerd waren...

Het was zo'n gesprek waar je niks aan had, omdat Claire hem toch niet wilde begrijpen. Ze wilde alleen maar vertellen wat ze zelf vond. Precies zoals zijn ouders deden. En de leraren op school. En de schoolpsycholoog. Er werd wat afgeluld door iedereen.

Het enige dat hij echt wilde was voetballen.

Zijn ouders hadden hem nooit verboden om op voetbal te gaan.

Maar ze hadden er ook niets voor gedaan. Net zoals bij Hannes. Als hij zo graag op voetbal wilde, moest hij dat zelf regelen. Gewoon een inschrijfformulier halen bij een club. Dat was toch niet zo moeilijk. Daar hadden zij echt geen tijd voor.

Maar Freddy durfde niet. Hij dacht dat hij niet goed genoeg was om bij een echte club te kunnen voetballen. Pas toen hij in groep acht in het schoolelftal speelde, merkte hij dat hij één van de besten was.

In de brugklas had hij echter een jongen leren kennen die voetbal niet cool vond. Freddy had nooit veel vrienden gehad op school. Daarom vond hij het leuk dat Ruud met hem omging. En daarom deed hij alsof hij voetbal ook niet cool vond.

Ruud kon supergoed leren en hij hoefde er niets voor te doen. Je hebt van die mensen. Hij vond het stom dat Freddy wel huiswerk maakte. Daarom maakte Freddy geen huiswerk meer en haalde hij zulke lage cijfers dat hij van het atheneum naar de havo moest. En aan het eind van het jaar zelfs naar het vmbo. Dat was een andere school in een ander gebouw en zo verloor Freddy Ruud uit het oog.

Op het vmbo zaten veel meer stoere jongens dan op het atheneum.

Om er bij te horen begon Freddy te roken en omdat hij

geld genoeg had, deelde hij sigaretten uit aan iedereen. Ook aan Boy Wessels, die toen al een kaal hoofd had en een jaar ouder was omdat hij een keer was blijven zitten.

Boy was een echte voetbalfan. Hij sprak altijd over Sportclub. Hij zat bij Zwart op Wit, een fanclub met een eigen clubhuis onder het nieuwe stadion. Hij ging elke zondag kijken, ook naar uitwedstrijden, samen met zijn oudere broer Gerard.

Het leek Freddy supercool. Daar wilde hij ook bij horen. Hij vroeg aan Boy of hij lid kon worden van Zwart op Wit.

Boy keek hem lang en strak aan. En toen had hij nee geschud. 'Jij bent een miet,' zei hij.

Om te bewijzen dat hij geen miet was, had Freddy zijn hoofd kaalgeschoren en had hij dezelfde kleren gekocht die Boy en zijn vrienden droegen.

'Oké,' had Boy op een gegeven moment gezegd. 'Je mag lid worden als je mij elke week een pakje sigaretten geeft.'

Dat was voor Freddy geen probleem. Hij was blij. Hij hoorde bij Zwart op Wit en hij mocht naar de wedstrijden van Sportclub.

De eerste wedstrijd die hij samen met de fanclub zag was een flinke teleurstelling. De jongens bleken geen enkele belangstelling voor het voetbal te hebben. Ze hadden alleen belangstelling voor elkaar en voor het vak van de tegenstander. Dat waren allemaal stomme boeren of domme eikels. Het liefst was Freddy met zijn zwartwitte sjaal in een ander vak gaan zitten om rustig naar de wedstrijd te kunnen kijken, maar dat ging natuurlijk niet. Hij miste de doelpunten die er werden gemaakt en het grootste deel van de tweede helft. Boy en zijn vrienden vonden het leuker om te kijken of er loslopende supporters van de tegenstander waren. Die konden ze dan uitschelden of zo. De eindstand interesseerde ze geen bal.

Je kon altijd naar de samenvatting kijken op de tv.

Een paar weken later wilde Boy twee in plaats van één pakje sigaretten. En een bijdrage in de reiskosten voor de uitwedstrijden.

Het was voor Freddy geen probleem, maar het voelde niet goed.

Dat hele gedoe met Zwart op Wit viel hem trouwens tegen. Hij kon met niemand over voetbal praten. De meeste jongens hadden er geen verstand van. Ze konden de namen van de spelers van Sportclub niet eens uit elkaar houden. Het enige dat ze konden was schreeuwen en keet trappen en elkaar stompen en spugen.

Vaak zat zijn kop na een wedstrijd onder het speeksel en moest hij zich thuis douchen, alsof hij zelf gespeeld had.

Maar het probleem was dat hij niet zomaar kon wegblijven. Dat had hij één keer gedaan en toen had Boy hem 's maandags dreigend gevraagd waar hij was gebleven. Als je bij Zwart op Wit wilde horen kwam je naar de wedstrijd. En Freddy moest niet aankomen met een lulsmoes.

Hij was toen voor het eerst echt bang geworden voor Boy en hij deed nog meer zijn best om erbij te horen. Maar Boy ging steeds meer eisen stellen en hij gebruikte Freddy als een soort knecht.

Nu, na het verraad dat hij gepleegd had, was Freddy echt bang. Hij kende Boy. En hij wist dat Gerard zijn jongere broer altijd steunde.

Het plan van Dubbel en Donna om via Gerard invloed te krijgen op Boy leek op het eerste gezicht een goed idee. Maar Freddy vroeg zich af of Gerard genoeg invloed had op Boy. Boy was veel slimmer en gemener dan Gerard. Als Gerard tegen Boy zou zeggen dat hij Freddy niks mocht doen, kon dat wel eens het tegenovergestelde resultaat hebben.

Het ging intussen een stuk beter met de vader van Hannes. Hij hoefde minder lang in het ziekenhuis te blijven dan de dokter eerst dacht. Dat betekende dat Hannes snel weer naar huis kon.

Aan de ene kant vond hij het prettig om weer in zijn eigen bed te slapen en zijn eigen spullen om zich heen te hebben. Aan de andere kant was de vrijheid die Donna bij haar moeder had ook heel prettig. De moeder van Donna deed nergens moeilijk over en het huishouden was er een lekkere puinhoop. Als ze geen zin had om te koken liet ze pizza's komen of ze haalde iets op de hoek in de cafetaria. Geen probleem. Je hoefde niet elke dag gezond te eten. Dat vond Hannes ook. Maar zijn moeder zette geen stap in een cafetaria of een snackbar. Ze vond het er vies ruiken en dus kon het eten er nooit goed zijn. Ze kookte zoals haar moeder het haar had geleerd. Saai. Hannes wist elke dag van de week wat hij 's avonds zou eten. Omdat het elke week hetzelfde was.

En hij zou het kijken naar al die voetbalwedstrijden met Donna missen.

Ze hadden al drie keer getraind met Coach en Karel. Het waren pittige trainingen, die altijd werden afgesloten met een partijtje.

Eén van de jongens, Nilson, was na de eerste training niet meer komen opdagen. Dubbelbil was naar zijn huis gegaan, maar het hele gezin was spoorloos verdwenen.

Sjon of Johnny – Hannes wist nooit wie Sjon was en wie

Johnny - had zijn been gebroken en moest een paar maanden in het gips. Hij kon op zijn fiets de langste wheelie maken van de hele stad. Om dat te bewijzen reed hij door rood en klapte keihard op een oude Renault. Vette pech.

Daardoor waren er nog maar twaalf spelers en één keeper. Het werd steeds belangrijker dat Freddy mee kon doen.

Hannes vond het heerlijk om te trainen. De dagen dat er geen training was, waren bijna niet om door te komen. Het liefst zou hij elke dag willen trainen, maar de meeste jongens vonden drie keer per week genoeg. Ze hadden tijd nodig voor andere dingen. Onbegrijpelijk, vond Hannes. Alleen Attakus was net zo fanatiek als Hannes. Zijn probleem was dat hij een strenge vader had en dat hij zijn ouders moest helpen in hun zaak. Ze hadden een groentenzaak en Attakus moest bestellingen afleveren bij klanten.

Donna, die nooit meer vloog, wilde alleen maar over keepen praten.

Het liefst met Karel, die alles wist van beroemde keepers.

Keepers waren bijzondere mensen. Ze stonden een beetje buiten het elftal. Vaak waren ze al wat ouder, want als keeper kon je lang mee. En hoe meer ervaring een keeper had, hoe beter hij werd.

Hannes wilde die verhalen over keepers best allemaal horen. Als Karel op zijn praatstoel zat hield hij niet meer op. Maar nog liever praatte hij met Coach over tactiek en spelinzicht.

Coach had een oud schoolbord in de kleedkamer gehangen en daar tekende hij spelsituaties op. Hij had een feilloos geheugen voor momenten uit wedstrijden van wel dertig of veertig jaar geleden.

Terwijl de andere jongens allang vertrokken waren, luisterde Hannes nog naar Coach en Donna naar de verhalen van Karel.

Dubbelbil zat af en toe in het hokje boven op de tribune om te oefenen als omroeper. Meestal ging hij naar oma Eefje in het huisje van Coach om te kijken of ze nog iets gebakken had dat hij kon eten.

Donna had aan haar moeder gevraagd hoe ze aan een goeie donkere pruik konden komen. Voor het schoolcabaret. Via een vriendin van haar moeder die kapster was, lukte het om een pruik te vinden die ze een tijdje mochten gebruiken.

Ze hadden met Freddy afgesproken dat ze na de training één voor één naar hem toe zouden komen. En dat ze eerst alledrie naar hun eigen huis gingen om eventuele spionnen van Boy op een verkeerd been te zetten.

Om vijf uur kwam Donna als eerste bij het huis van Freddy. Om tien over vijf was Hannes er en om half zes kwam Dubbelbil aangeslingerd op zijn fiets. Ze hadden niet het gevoel dat ze gevolgd waren. Maar Freddy vertelde dat hij vanuit een zolderkamer had gezien dat twee kaalkoppen vanmiddag een paar keer door de straat waren gelopen en naar zijn huis hadden gekeken.

Dicky moest het verteld hebben.

Freddy kon er niet mee zitten. Hij had schijt aan die hele club. Donna zei dat hij niet zo stoer moest doen. Ze begreep best dat hij bang was voor Boy en zijn vriendjes. Zelfs Dubbelbil, die nooit ergens bang voor was, vond dat Freddy niet cool hoefde te doen.

Hannes zei niets. Hij wilde dat die hele toestand met de kaalkoppen voorbij was en dat Freddy meedeed met de training.

Freddy had de hele dag voor de spiegel geoefend. Zijn zus wiebelde met haar kont, herinnerde hij zich. En ze sprak behoorlijk bekakt. Dat kon hij goed nadoen, dat deed hij vroeger ook om haar te pesten.

De pruik was van iemand geweest die een groot hoofd had, hij zat nogal lullig. Gelukkig was Donna handig en met een paar slimme ingrepen zat hij goed genoeg om niet onmiddellijk door de mand te vallen. Het beste was als Freddy op de pruik nog een muts of een pet zette. Dat was mode, je kon binnen en buiten een muts op je hoofd dragen.

'En nu? Hebben jullie een idee hoe ik het moet aanpakken?' Freddy keek naar Dubbelbil, die meestal de beste ideeën had.

'We moeten eerst Gerard ergens naar toe lokken. En daar moet jij dan een goeie indruk op hem maken.'

'Wat bedoel je met een goeie indruk? Moet ik op hem afstappen en zeggen dat ik hem een stuk vind of zo?' Freddy schudde zijn hoofd.

'Je stapt op hem af met je liefste glimlach en je zegt dat je hebt gehoord dat jouw broer en zijn broer mot hebben. En dat jij wilt dat daar een eind aan gemaakt wordt. En dat Gerard jou een verstandige jongen lijkt. Niet zoals de meeste jongens.' Dubbelbil glimlachte.

'Je vraagt of hij met de auto is en of hij jou naar huis kan brengen,

Misschien vindt hij het leuk om nog een stukje met je te rijden.'

'En dan praten jullie wat,' zei Donna. 'Over van alles. Of hij het leuk vindt bij Zwart op Wit. Of hij een vriendin heeft. Waarom hij nog steeds met al die jongetjes optrekt.'

'Gewoon een goed gesprek,' vond Hannes.

'Maar als hij merkt dat ik geen vrouw ben. Wat dan?'

'Omdat je per ongeluk met hem naar het herentoilet gaat?' vroeg Dubbelbil. 'Ik vind het niet bepaald een versierder. Ik denk niet dat hij met zijn handen aan je borsten gaat zitten om te controleren of ze echt zijn.'

'Als hij dat doet geef je hem een tik op zijn vingers,' zei Donna verontwaardigd. Ze stelde zich voor dat Freddy een meisje was dat werd lastig gevallen.

Freddy zelf leek nog niet gerustgesteld. 'Misschien zeg ik iets stoms of zo. Waardoor hij merkt dat ik geen meisje ben.'

'Ik heb met die gast in de auto gezeten,' zei Dubbelbil. 'Als hij moet rijden merkt hij niks van wie er naast hem zit of wat die persoon zegt. Hij heeft al zijn aandacht nodig voor de auto en de weg.'

'Lekker is dat,' vond Freddy. 'Maak ik ook nog een dikke kans dat hij ergens tegenaan rijdt.'

'Als hij zijn handen aan het stuur heeft, kan hij niet aan jou zitten.'

Donna en Hannes moesten lachen om het gezicht dat Freddy trok.

18. Schot met de wreef

Gerard, de broer van Boy, verveelde zich. Boy en zijn vrienden waren uit het clubhuis van Zwart op Wit gezet en hingen nu ergens anders rond. Toen ze in het clubhuis kwamen, kon hij daar ook gaan zitten en een flesje bier pakken. Hij had weinig vrienden van zijn eigen leeftijd. Dus vond hij het leuk om met die jonge gasten op te trekken. Ze waren zo brutaal als de neten. Vooral Boy. Hij was best trots op zijn broertje, die trouwens bijna net zo groot was als hij. En net zo sterk, had hij laatst gemerkt toen ze aan het stoeien waren.

Je moest geen ruzie met Boy krijgen.

Zoals die idioot, die Freddy. Hij had Boy nog nooit zo kwaad meegemaakt als toen die knaap verraad pleegde. Voor die dikke had Boy nog iets van respect. Die jongen was niet bang. Maar Freddy had de club verraden en Boy had gezworen tegenover zijn vrienden dat hij hem over de Hoge Brug zou jagen. Boy was de enige van de groep, misschien wel de enige jongen in de hele stad die over de boog van de Hoge Brug durfde te lopen. Freddy zou in zijn broek pissen van angst. Nou ja, daar kon Gerard niet mee zitten. Hij was zelf vroeger op school ook gepest. Daarom had hij geen enkele school afgemaakt en had hij allerlei baantjes gedaan.

Want als zijn vader merkte dat hij niks uitvoerde, sloeg hij hem de kamer door. 'Als je niet naar school gaat, ga je werken. Stomme eikel!'

Gerard had zijn hele leven al problemen met zijn vader, die hem maar een watje en een zacht ei vond. Zijn vader was trots op Boy en dat liet hij ook goed merken.

Misschien was dat de reden dat Gerard zo veel met Boy optrok. Hij wilde dat zijn vader ook trots op hem was.

Hij had Boy beloofd om uit te zoeken waar Freddy woonde.

Freddy Jansen heette hij. Dat schoot ook niet op. De jongen was spoorloos verdwenen. Hij was sinds de avond van het vuurwerk niet meer op school geweest. Uit angst natuurlijk. Maar hij moest ergens gebleven zijn.

Gerard had geprobeerd om er via de administratie van de school achter te komen waar Freddy Jansen woonde. Dat mochten ze niet zeggen. Na lang aandringen over boeken die hij moest brengen naar een zieke jongen kreeg hij het adres. Het bleek een postbusnummer.

Wie heeft er nou een postbusnummer? Mensen die iets te verbergen hebben, of hele beroemde mensen? Of hele rijke mensen?

Boy begon behoorlijk ongeduldig te worden. Hij vond het maar stom dat zijn broer er niet in slaagde om zo iets simpels als het adres van een jongen op te sporen. Hij beloofde aan zijn kaalkoppen dat degene die het adres van

Freddy wist te vinden, een pakje sigaretten kreeg. Maar veel belangrijker was, dat degene die het adres vond, respect kreeg van de leider.

Dicky, de jongen die door Freddy was kaalgeschoren en hem beloofd had om niet te vertellen waar hij woonde, had al een paar keer op het punt gestaan om Freddy te verraden. Omdat hij het telkens uitstelde was het op een gegeven moment te laat geworden om het te vertellen. Boy zou zeggen dat hij dat ook eerder had kunnen doen.

Nu hij een pakje sigaretten en respect kon verdienen pijnigde hij zijn hersens om te bedenken hoe hij Boy kon vertellen wat hij wist.

Na lang nadenken had hij een oplossing gevonden. Hij zou zeggen dat hij toevallig een knaap was tegengekomen die bij Freddy op de basisschool had gezeten en die wel eens bij hem thuis was geweest.

De volgende dag vertelde hij Boy dat Freddy in Villawijk woonde, aan de Parklaan op nummer 11.

Boy had onmiddellijk twee jongens naar het adres gestuurd om te kijken.

Toen Gerard hoorde dat Dicky had ontdekt wat hem niet was gelukt, voelde hij de bui al hangen. Boy zou nog minder respect voor hem hebben.

Terwijl hij voor de tv hing en niet wist wat hij verder met zijn avond moest, ging zijn telefoon. Het was een nummer dat hij niet kende. Een meisjesstem. Hij werd nooit gebeld door meisjes.

Waarschijnlijk was het een vergissing, verkeerd verbonden.

'Spreek ik met Gerard Wessels?' vroeg het meisje. Ze klonk nogal bekakt. Maar ze moest hem hebben.

'Ja,' antwoordde hij aarzelend.

'Ik wil graag met je praten. Kunnen we ergens afspreken, vanavond? Liefst op een plaats waar ze jou niet kennen.'

Wat was dit? Een valstrik? Welk meisje wilde met hem afspreken op een plaats waar ze hem niet kenden?

'Waar gaat het over?' wilde hij weten. 'Waar wil je over praten?'

'Over mijn broer,' zei het meisje. 'Freddy.'

'Freddy Jansen? Wat is daarmee?'

'Ik praat niet over de telefoon. Ik wil je vanavond persoonlijk spreken en ik wil dat je je mond houdt over die afspraak tegen je broer en zijn vrienden. Waar zullen we afspreken?'

Gerard was niet gewend om met meisjes te praten en zeker niet met bekakte en doortastende types zoals de zus van Freddy. Hij dacht even na en noemde toen de stationsrestauratie.

'Om acht uur,' zei de zus van Freddy. 'Als je iemand meeneemt, herken ik je niet.'

'Hoe ken je me dan?' vroeg Gerard, maar ze had al opgehangen.

'Goed gedaan,' zei Hannes. 'Ik zou er ook ingetuind zijn. Waar heb je met hem afgesproken?'

'In de stationsrestauratie.' Freddy had een rood hoofd gekregen van de warmte en een beetje van trots.

'Denk je dat hij komt?' vroeg Donna.

'Zeker weten,' zei Dubbelbil. 'Eitje.'

Ze legden de laatste hand aan de kleding van Freddy. Hannes en Donna zouden in de buurt van Freddy gaan zitten in de stationsrestauratie. Dubbel bleef buiten om te kijken of er geen kaalkoppen stonden te wachten. Tenslotte kende Gerard hem.

Aanvallen is de beste verdediging, dacht Hannes. Als je voor je eigen doel bleef hangen kon je zelf nooit scoren en gaf je de tegenstander de kans om in de buurt van jouw doel te komen.

Zo was het met Freddy ook. Als hij thuis bleef wachten op wat er kon gebeuren, gebeurde er niks. Nu was hij zijn tegenstander een stap voor.

Nadat Donna had verkend of er geen kaalkoppen in de straat rondhingen, vertrokken ze. Eén voor één. Ze namen allemaal een andere route naar het station.

Het was ijskoud en het miezerde een beetje.

Hannes voelde zich bijna net zo zenuwachtig als Freddy. Het moest lukken. Als het mislukte raakte hij Freddy kwijt.

Oma Eefje was tevreden. Ze had gesproken met haar schoonzoon. Het was een heel duidelijk gesprek geworden.

Ze had klip-en-klaar gezegd dat ze hem een nare egoïstische geldwolf vond. Als haar eerste man had geweten dat Anton zo'n rotkarakter had, had hij hem nooit geld gegeven om zijn bedrijf te beginnen. Ze was diep teleurgesteld in hem. Daarom was ze van plan geweest haar aandelen in het bedrijf te verkopen aan een grote concurrent van Anton.

Haar schoonzoon had haar met grote ogen aangestaard. 'Dat doe je niet. Dat kun je niet maken. Dan is alles wat ik heb opgebouwd in één klap weg.'

Oma knikte. 'Juist jongen. Dan hoef ik tenminste niet meer mee te maken dat mijn schoonzoon een stel buurtkinderen hun speelveld wil wegnemen, omdat hij een parkeerplaats belangrijker vindt.

Je weet wat mijn man altijd zei. Als je de mogelijkheid

hebt om iets voor een ander te doen, dan moet je dat doen. Jij hebt toevallig geluk gehad, omdat je met mijn dochter bent getrouwd. Wat ze in je ziet mag Joost weten. Nou ja, zo slim is ze nooit geweest, ben ik bang.'

Dat laatste had ze er niet bij willen zeggen, maar het flapte zo uit haar mond. Ze vond trouwens dat ze oud genoeg was om alles te kunnen zeggen wat ze dacht, ook over haar eigen dochter.

Anton van Dieren, de grote bouwondernemer, trilde op zijn dunne benen. Hij was kwaad en hij was bang. Hij wist dat zijn schoonmoeder in staat was om te doen wat ze zei. Sinds ze met die ouwe gek getrouwd was, kon je alles van haar verwachten.

Dit was het laatste dat hij kon gebruiken. Hij moest nog een heleboel geld bij elkaar krijgen om zijn nieuwe plannen te kunnen betalen.

Aan de andere kant, toen Eefje hem op zijn kantoor had overvallen, had hij aan de reacties van de mensen gemerkt dat ze het mooi vonden dat hij zogenaamd een goed doel steunde.

Misschien moest hij daar gebruik van maken. Zo had hij het nooit bekeken. Als je de stumpers en de zielenpieten in de wereld helpt, vindt iedereen je een goed mens.

Oma Eefje zag dat Anton nadacht. Ze vermoedde dat hij eieren voor zijn geld zou kiezen. Ze had nooit de illusie gehad dat ze hem kon veranderen. Mensen veranderen niet zo snel. Maar hij kon wel, omdat het moest, zijn zaakjes op een andere manier regelen. Bijvoorbeeld op de manier die oma had bedacht.

'Je hebt gelijk Eefje,' zei Anton. 'Ik denk dat ik soms te hard van stapel loop. Het is goed om ook eens te denken aan anderen.'

Oma glimlachte. Ze wist dat ze nu geen verkeerde opmerking moest maken. Ze had haar schoonzoon waar ze hem wilde hebben.

'Oké jongen. Ik wist dat jij ergens diep van binnen een goed hart hebt. Dan moeten we nu maar spijkers met koppen gaan slaan.'

'Wat bedoel je daarmee?'

'Ik heb een plan,' zei oma. 'Jij geeft de buurt iets terug in ruil voor de kantoren die je daar mag neerzetten.'

'Ik denk dat de buurt heel blij is met mooie kantoren. In plaats van een oud stadion dat alleen maar overlast veroorzaakte. Parkeerproblemen, rotzooi op straat. En de laatste jaren al die rottigheid met de jeugd.'

'En wie begon er met rottigheid uithalen?' vroeg oma.

'Toen was ik nog jong, dan doe je die dingen. Kattenkwaad was 't.'

'Mijn plan is,' zei oma, 'om voor de jeugd van de buurt een speelveld aan te leggen. Tussen de oude buurt en de nieuwe kantoren, moet ruimte komen voor een plek om te voetballen. Geen lullig parkje, zoals jij hebt bedacht in je bouwplan. Zo'n parkje, daar heeft niemand wat aan, behalve de hondenbezitters die er hun beest laten poepen.'

Anton trok zijn wenkbrauwen op.

'Ik wil een mooi strak kunststofveldje, een echt Cruyff Court,' vervolgde oma. 'Johan Cruyff heeft een stichting opgericht met het doel om gehandicapte kinderen te kunnen laten sporten. En om in steden waar te weinig ruimte is om te kunnen voetballen kunstgrasveldjes aan te leggen. Dat is precies wat we hier moeten hebben voor Hannes en zijn vrienden.'

'En dat betaalt meneer Cruyff dan zeker?' vroeg Anton. Het leek hem niks. Een kunstgrasveldje naast zijn mooie kantoren.

'Soms betaalt de stichting het. En soms de gemeente, of een bedrijf.

In dit geval lijkt het me een goed idee dat jij zo'n veldje betaalt.'

19. Panna

Hannes en Donna zaten in de stationsrestauratie en keken naar Freddy, die nu Claire was. Donna had al gezien dat Freddy zijn rol goed speelde. Er waren een paar jongens geweest die zich naar 'Claire' hadden omgedraaid.

Gerard was er nog niet.

Hannes nam een slok van zijn cola. Hij moest naar de wc, maar hij kon nu niet weglopen.

'Moet je naar de wc?' vroeg Donna. Ze kende Hannes van haver tot gort. Ze zat bijna zes jaar naast hem in de klas. Voor het eerst had ze het gevoel dat ze ouder was dan Hannes. Ze scheelden maar een paar maanden, daar lag het niet aan. Het was meer dat ze, nou ja, ze voelde zich gewoon zo. Misschien omdat ze borsten kreeg en al één keer ongesteld was geweest. Hannes was nog een jongetje.

In tegenstelling tot Freddy. Ze keek weer naar Freddy en zei tegen Hannes dat hij gerust kon gaan plassen.

Terwijl Hannes naar het toilet liep kwam er een jongen binnen die bij de deur bleef staan en om zich heen keek. Donna keek naar Freddy en zag dat hij ook in de richting van de jongen keek.

Het was een onopvallende jongen met veel gel in zijn haar en een ringetje in zijn oor. Hij wilde een stoere indruk maken.

Donna kreeg een sms-je van Dubbel. 'Onze man is binnen. Geen kaalkoppen gezien.' De jongen bij de deur was Gerard.

Gerard liep door de stationsrestauratie en keek schichtig naar iedereen die hem gebeld zou kunnen hebben. Hij had lang geaarzeld of hij zou gaan, maar tenslotte had zijn nieuwsgierigheid het gewonnen van zijn angst dat het een valstrik was. Als het meisje inderdaad de broer van die Freddy was, kon hij een goeie indruk maken bij Boy.

Hij zag een meisje met een bril dat hem heel even aankeek.

Zou ze dat zijn? Een kind van een jaar of twaalf. Het kon natuurlijk, meiden waren op die leeftijd niet op hun mondje gevallen.

Aan de andere kant van het gangpad zat een hele mooie meid. Djiezis. Wat een mokkel was dat. Hij durfde haar nauwelijks aan te kijken. Maar zij keek naar hem... en ze glimlachte.

'Hallo Gerard. Ga zitten.'

'Hoe weet je... ik bedoel...' Hij kon zijn ogen niet van haar afhouden. Het was zo'n meisje waar je alleen maar van kon dromen. Iemand die je op MTV zag of in bladen.

Omdat hij niet oplette terwijl hij tegenover haar ging zitten, stootte hij met zijn knie tegen de rand van de tafel. De tranen sprongen in zijn ogen.

'Heb je je bezeerd?' vroeg ze bezorgd.

Gerard schudde zijn hoofd. 'Niks aan de hand.'

Ze stak hem haar hand toe. 'Hoi, ik heet Claire, dat had ik nog niet gezegd, geloof ik. Fijn dat je even kon komen.'

Gerard knikte. Hij wist niet wat hij moest zeggen. Hij wilde eigenlijk alleen maar naar haar kijken.

'Het gaat om mijn broertje,' zei ze. 'Freddy is bijna veertien. Het is een meeloper. Hij wil graag de stoere jongen uithangen, maar als er echt iets gebeurt doet hij 't in zijn broek.'

Gerard dacht even dat ze het over hem had. Claire keek hem nadenkend aan en gleed met haar tong langs haar lippen.

Gerard kreeg het er warm van. Hij zou een moord kunnen bekennen tegen die meid.

'Zo ben jij gelukkig niet. Dat zie ik. Jij ziet er verstandig uit, iemand die doet wat hij zegt en zegt wat hij doet.' Claire lachte naar hem. 'Toch?'

Donna keek naar Hannes die net weer aan het tafeltje was gaan zitten en nu zijn lachen zat in te houden. Tsjonge, wat kon die Freddy acteren.

Als hij net zo goed kon voetballen als toneelspelen...

'Eh, ja,' stamelde Gerard. 'Wat is er met je broer?' Waarom moesten ze het over dat broertje hebben, vroeg hij zich af.

'Hij zit in de problemen. Hij heeft iets stoms gedaan en nu durft hij niet meer de straat op. Hij is bang dat hij gestraft wordt voor zijn lafheid. Door jouw broer. Door Boy.'

'Boy?' zei Gerard. 'Gestraft?' Hij wist niet wat ze van hem verwachtte, dus probeerde hij tijd te rekken door een paar woorden te herhalen. Ze keek hem indringend aan met haar mooie bruine ogen. 'Wat wil je precies?' mompelde hij.

'Ik denk dat jij wel wat invloed hebt op je broertje. Je zou tegen hem kunnen zeggen dat hij Freddy met rust moet laten.'

Gerard wilde alles tegen Boy zeggen wat ze hem vroeg, als ze maar bleef zitten en naar hem lachen. Maar misschien zat er voor hem nog meer in. 'Waarom zou ik dat doen?'

Voor die vraag waren ze bang geweest. Dubbel had tegen Freddy gezegd dat Claire niks moest beloven, maar wel moest doen alsof ze

Gerard iets beloofde. Hoe deed je dat?

'Misschien omdat je het voor mij doet?' probeerde Claire met haar liefste glimlach. Het was een zin die Freddies moeder altijd zei als ze wilde dat hij zijn huiswerk ging maken. Het was een vreselijke zin en Gerard trapte er ook niet in.

'Waarom zou ik iets voor jou doen?' vroeg hij. Hij vond het gesprek steeds leuker worden. Die meid wilde iets van hem. Dus kon hij eisen stellen.

'Omdat ik je dan misschien nog een keer wil zien.'

Freddy voelde dat hij onder zijn pruik en het mutsje begon te zweten. Nog even en de druppels liepen langs zijn gezicht.

'Hoe weet ik of je dat meent? Ik ben niet achterlijk. Jij denkt dat je mij kunt gebruiken, zonder dat er iets tegenover staat.'

'Wat zou jij dan willen?' vroeg Claire.

'Ik wil wel een afspraak met je maken. Naar de film of zo.'

Claire knikte. 'Hoe weet ik of jij tegen je broertje zegt dat hij van Freddy moet afblijven?'

Gerard dacht na. Het was niet makkelijk. Hoe kon hij ervoor zorgen dat beide partijen tevreden werden gesteld? Hij keek om zich heen maar er was niemand die hem kon helpen. Het meisje met de bril keek hem vriendelijk aan. Hij vroeg zich af of Boy gevoelig was voor meisjes. De jongens deden wel stoer over meiden, maar hij had Boy nog nooit met een meisje gezien.

'Ik heb een idee,' zei hij tegen Claire.

Freddy knikte. Hij had het gevoel dat zijn schedel in brand stond.

Hoe kon je in hemelsnaam met een pruik op je kop leven?

'Het beste is dat we samen naar Boy gaan en dat ik hem dan vertel dat hij van jouw broertje moet afblijven. Dan weet jij dat ik mijn woord heb gehouden en je ziet ook hoe hij reageert. Als hij niet wil kun je hem zelf overtuigen.'

Hannes keek Donna aan. Dat was niet de bedoeling. Dan hadden ze net zo goed direct naar Boy kunnen gaan. Het werd tijd voor een tactische terugtocht. Hij zag dat Donna voorzichtig een teken aan Freddy gaf. Afkappen en wegwezen. Maar Freddy reageerde niet op haar signalen.

'Oké,' hoorde Hannes Freddy zeggen. 'Best. Wanneer zullen we dat doen? Nu?'

Donna kneep hem onder tafel hard in zijn been. Ze probeerde weer Freddies aandacht te trekken, maar Freddy leek vast van plan om door te zetten.

'Ik zal hem bellen,' zei Gerard. 'Als hij in de buurt is, kunnen we hem opzoeken.'

'Dan ga ik even naar het toilet,' zei Claire.

Freddy probeerde zo elegant mogelijk op te staan en met zijn kont te wiebelen terwijl hij naar de wc liep.

Donna wachtte een halve minuut en ging achter hem aan. Gelukkig was er niemand op het damestoilet.

'Die klotepruik,' zei Freddy. 'Ik kan dat ding geen minuut langer op mijn kop hebben.'

'Wat ben je van plan?' vroeg Donna. 'Boy is veel slimmer dan zijn broer. Als hij in de gaten heeft dat jij het bent, kookt-ie soep van je.'

'Ik moet Boy zelf overtuigen. Aan die lul van een Gerard heb ik niks. Ik weet zeker dat die gast niks tegen zijn broer durft te zeggen. En ik kan het beter nu proberen dan later. Ik heb geen zin om me nog langer te verschuilen.'

Donna kon het zich wel voorstellen, maar ze vroeg zich af of het verstandig was.

Freddy trok de pruik met de muts van zijn hoofd en hield zijn kop onder de kraan. 'Hoe deed ik 't?' wilde hij van Donna weten.

'Je doet het heel goed, je hebt talent. Maar je moet niet overdrijven.

Zoals Coach zegt: als je denkt dat je er bent, begin je pas.'

Ze hielp Freddy met het opzetten van zijn pruik en werkte zijn mascara bij.

Gerard had Boy gebeld en gezegd dat hij een afspraak had met de zus van Freddy. Daar stond Boy natuurlijk van te kijken. Hij vroeg hoe zijn broer dat voor elkaar had gekregen, maar Gerard was niet van plan om hem dat te vertellen. Claire, zo heette de zus van Freddy, wilde graag even met Boy praten.

Dat leek Boy wel geinig. Hij stelde Gerard voor om met die Claire naar cafetaria de Hoge Brug te komen. Dat was zo'n beetje het nieuwe clubhuis geworden.

'Oké,' zei Gerard.

Claire kwam terug van het toilet en ging tegenover hem zitten. Het was beslist de mooiste meid waarmee hij ooit aan een tafeltje had gezeten.

Hannes en Donna wachtten even tot Freddy en Gerard vertrokken waren. Dubbel stond nog steeds voor de deur. Hij had het koud gekregen. Ze vertelden hem wat Freddy van plan was.

'Ik weet niet of dat zo'n goed plan is.' Dubbel leek echt bezorgd. 'Gerard is een idioot, maar Boy hou je niet voor de gek.'

'Wat kunnen we doen als het mis gaat?' vroeg Donna.

'Hulptroepen,' zei Hannes. 'De Beck Streetboys. We bellen het hele team en vragen of ze naar het cafetaria kunnen komen.'

Ze liepen op gepaste afstand achter Freddy en Gerard. Freddy vergat af en toe met zijn kont te wiebelen, maar Gerard scheen totaal geen vermoeden te hebben. Ze hoorden hem hard lachen om zijn eigen grappen.

'Veel te laat,' zei Dubbelbil. 'Als Boy niets door heeft en er komt opeens een hele groep jongens binnen, weet hij dat er iets mis is. We moeten vertrouwen op Freddy en in de buurt blijven. Het grootste probleem is dat we niet weten wat er in de cafetaria gebeurt.'

Donna dacht na. 'Ik bel Freddy en ik zeg dat hij de verbinding niet moet verbreken. Dan kunnen we horen wat er gebeurt.'

Dat was een idee.

Ze kwamen bij de rivier die de stad in twee ongelijke delen sneed.

De nieuwe Hoge Brug werd verlicht door een rij moderne lampen.

Hannes rilde bij de gedachte dat je over de boog van die

brug zou moeten lopen. Het was nat en koud, de boog was spekglad.

De cafetaria lag aan de voet van de brug, naast een dikke pijler.

Donna toetste het nummer van Freddy en van een afstand zagen ze dat hij de telefoon uit zijn zak haalde en opnam.

'Hallo Claire, met Donna. Doe alsof ik een goeie vriendin ben.'

'Hé,' zei Freddy. 'Waar zit je?'

'Even praten,' fluisterde Donna, 'daarna steek je de telefoon in je zak, zonder de verbinding te verbreken.'

'Oké,' zei Freddy. 'Ik ben in de stad. Misschien kunnen we elkaar vanavond nog zien, heb jij een idee?'

'Ik heb geen idee, doe voorzichtig.'

'Doe ik, om half tien? Ciao.'

Boy en een stuk of vijf kaalkoppen zaten achterin de cafetaria.

Ze dronken Breezers en rookten. Toen Gerard en Freddy binnenkwamen werd het even stil.

'Wow,' zei één van de kaalkoppen.

'Hou je bek,' zei Boy. Hij keek naar zijn broer en het meisje. 'Jij bent de zus van die verrader? Je lijkt sprekend op hem. Of hij op jou. Altijd wel geweten dat 't een miet is.'

Claire stak haar hand uit. 'Ik ben Claire. Ik denk dat jij Boy bent.

Je bent al net zo knap als je broer.'

De kaalkoppen moesten lachen, tot ergernis van Boy.

'Als je denkt dat je met mij kunt slijmen heb je 't mis, trut. Ik trap niet in die praatjes van jouw soort. Zoals mijn broer.'

Gerard wilde een opmerking maken, maar Claire was hem voor.

'Oké, dat neem ik terug. Gerard is de knapste, die heeft tenminste zijn haar nog.'

'Wat wil je?' vroeg Boy. 'Als je hier bent gekomen om me te beledigen, donder je maar gelijk op.'

'Willen jullie iets drinken?' Claire keek de kring rond met haar liefste glimlach.

Dicky, die kleine verrader, staarde met open mond terug.

'Allemaal nog een Breezertje en voor Gerard een bier?'

Zonder op het antwoord te wachten bestelde Freddy de drankjes en rekende af met een biljet van honderd euro. Hij voelde zich op een vreemde manier opgewonden. Zoals wanneer je iets hebt gewonnen maar het nog niet kunt geloven. Alleen Dicky baarde hem zorgen.

'Ik vraag nog één keer, wat wil je?' zei Boy. Zijn gezag leek even verdwenen, omdat Claire een rondje had gegeven.

'Ik wil dat jullie van mijn broer afblijven.'

'Jij denkt dat wij die lul niet meer te pakken nemen omdat je een paar Breezertjes uitdeelt.' Boy keek om zich heen en lachte.

De kaalkoppen knikten.

'Ik kan ervoor zorgen dat jullie weer in het clubhuis mogen.'

Het was een gedachte die opeens bij Freddy was opgekomen. Ze hadden het er niet over gehad. Hij kreeg het weer warm. Buiten had hij geen last gehad van de pruik, binnen begon het ding weer te jeuken als een muggenbult.

'Dat zou te gek zijn, Boy,' vond Gerard. 'Ik denk dat dat een goeie deal is.'

Boy keek zijn oudere broer hoofdschuddend aan. 'Jij

gelooft alles wat die troela zegt, alleen omdat ze met haar kont draait. Donder op man.'

Claire keek de kaalkoppen stuk voor stuk aan. Ze sloegen hun ogen neer of draaiden hun hoofd af. 'Wie van jullie wil weer terug naar het clubhuis?'

'Wat is dat voor een vraag, natuurlijk willen we allemaal terug,' zei Boy.

'Maar jij krijgt dat niet voor elkaar en ik wel. Dus als ik ervoor zorg dat jullie morgen weer terug kunnen naar je clubhuis, laten jullie Freddy met rust.'

Freddy bedacht dat Dubbelbil zijn vader moest ompraten. Het was beter wanneer de kaalkoppen in het clubhuis zaten, onder toezicht van de oudere jongens, dan dat ze door de stad liepen en rottigheid uithaalden. Dat moest Dubbelbil zeggen. Freddy was tenslotte zelf een kaalkop geweest. Hij wist waar hij het over had.

'Hebben we een deal?' Claire krabde even op haar hoofd, waardoor de pruik een heel klein stukje verschoof. Niemand leek het te hebben gezien.

Niemand, behalve Dicky. Hij stond achter Claire en zag wat er gebeurde. Opeens wist hij waarom hij zo in verwarring was gebracht toen Claire binnenkwam. Het was niet de zus van Freddy. Het was verdomme Freddy zelf. Die gek had zich als een wijf verkleed. Djiezis. Dat was lef hebben.

'Oké,' zei Boy, na een lange stilte. 'Ik geef je vierentwintig uur de tijd om de zaak te regelen. Als je ons belazert, weten we jou en je broer te vinden.'

'Hartstikke goed.' Gerard was opgelucht. Hij had zijn broer geholpen en tegenover Claire een goeie indruk gemaakt. Hij wilde weg. Hij wilde met haar alleen zijn, uit de buurt van Boy.

'Ik breng je naar het station,' zei hij tegen Claire.

Claire keek hem lief aan. 'Je bent een heer.'

'En jij ook!' riep Dicky. Hij graaide van achteren de pruik van Freddies hoofd.

20. Sliding

Het laatste wat Donna verstond was 'hartstikke goed'. Daarna werd de verbinding verbroken. Freddy had per ongeluk op een knop gedrukt of hij was ergens tegenaan gaan staan.

Maar dat was niet van belang. Ze vertelde Hannes en Dubbel hoe het gesprek in de cafetaria was gegaan, voor zover ze het had kunnen volgen. Het belangrijkste was dat Freddy had gezegd dat hij ervoor kon zorgen dat de kaalkoppen weer in het clubhuis mochten.

Daar stond tegenover dat ze Freddy met rust lieten. Boy had hem, of eigenlijk Claire, vierentwintig uur de tijd gegeven om dat te regelen.

'Lekker is dat,' zei Dubbelbil. 'Mag ik zeker die ouwe sperzieboon omlullen.'

Hannes keek naar de cafetaria. Hij durfde nog niet

opgelucht te zijn. Zolang Freddy zich nog steeds in het hol van de leeuw bevond, kon er van alles gebeuren. Ook in blessuretijd kon je een wedstrijd verliezen, zei Coach. Je moest tot het laatste fluitsignaal geconcentreerd blijven.

Hij had de afgelopen dagen gedroomd dat hij samen met Freddy op het middenveld stond. Met slimme driehoekjes en strakke passes sneden ze door de verdediging van de tegenstander.

Alle spelsituaties die hij in zijn droom bedacht, kon hij 's morgens uittekenen. Als hij de kans kreeg zou hij ze met Freddy doornemen en oefenen.

Soms vroeg hij zich af waarom hij zoveel vertrouwen had in Freddy. Hij had hem nog nooit zien spelen. Maar er was iets bijzonders aan hem, het was of Hannes hem al jaren kende. Misschien omdat Freddy leek op een oudere broer die hij altijd al had willen hebben. Een broer met wie hij de hele dag kon voetballen of tafeltennissen als het slecht weer was.

Hij schrok op uit zijn gedachten omdat de deur van de cafetaria openging en de kaalkoppen naar buiten kwamen. Ze trokken en duwden aan een andere kaalkop, die niet meewilde. Het was een kaalkop met een rokje. Het was Freddy.

Toen Dicky de pruik van Freddies hoofd plukte was het heel even doodstil in het cafetaria. Zelfs Boy had geen tekst. De eerste die reageerde was Gerard. 'Vieze vuile...'

Hij probeerde Freddy een klap te geven, maar hij werd tegengehouden door Boy. 'Blijf van 'm af. Die smerige rat is voor mij. We zullen eens zien of het een echte miet is.'

'We donderen die lul van de brug,' riep Gerard.

'Nee,' zei Boy, 'hij mag kiezen. Of we gooien hem van

de brug of hij mag over de boog lopen. Als hij niet over de boog wil, heeft-ie een probleem.'

Freddies probleem was dat hij geen keus had. Als hij van de brug werd gegooid, raakte hij bewusteloos van de klap op het water. Hij werd meegenomen door de stroming en raakte onderkoeld. Het was pikdonker en niemand kon hem helpen. Dat was dus geen keus.

De afgelopen week had hij zich voorgesteld hoe het was om over de boog van de brug te lopen. Zoals in Amerikaanse films, waar kerels elkaar achterna zaten over de stalen balken van wolkenkrabbers die nog niet af waren. Die balken waren smaller, maar ze liepen wel recht. De boog van de brug was steil. Je moest omhoog en je moest naar beneden. En hij was glad.

Gek genoeg voelde hij zich rustiger dan toen hij Claire speelde.

Hij was blij dat hij die rotpruik niet meer op zijn hoofd had.

De kaalkoppen begonnen aan hem te trekken om hem mee naar buiten te krijgen. Hij hoopte dat Donna gehoord had wat er was gebeurd en dat ze iets kon doen. De politie bellen bijvoorbeeld.

Hij besloot om zich niet vrijwillig te laten meevoeren naar de brug.

Hij moest tijd winnen om de politie de kans te geven hier naar toe te komen.

'Wil je ons niet laten zien hoe mooi je over de brug kunt lopen?'

Gerard gaf hem een trap tegen zijn been. Die was helemaal over de rooie, hij had hem stevig op zijn pik getrapt.

Hij liet zich meevoeren naar buiten. Hij was niet van plan om zich zielig te gaan gedragen of om hulp te roepen. Niemand mocht denken dat hij een lafaard was.

Toen ze buiten waren keek hij naar de verlichte boog van de brug. Het zag er prachtig uit tegen de donkere hemel. Hij kon zich voorstellen dat het cool was om daaroverheen te lopen. Als er trappen waren en een leuning.

Ze stonden aan de voet van de boog. Freddy hoorde geen sirenes.

Hij nam een besluit. Hij zou Boy en de kaalkoppen laten zien dat hij durfde wat niemand durfde. Dan zouden ze respect voor hem hebben. Iedereen zou respect voor hem hebben. Zijn vader en moeder, Claire. Hannes, Donna en Dubbelbil.

Hij klom op de sokkel van de boog en zette een voet op de overspanning. Spekglad. En de schoenen van Claire die hij aanhad boden nauwelijks houvast. Het was onbegonnen werk. Levensgevaarlijk.

De jongens aan de voet van de sokkel waren stil geworden. Ze hadden niet verwacht dat Freddy zonder protest naar boven zou gaan. Maar ze zagen ook dat hij bij elke poging die hij deed om omhoog te komen, wegggleed.

'Je durft niet verder, hè?' riep Gerard. 'Je wilt liever van de brug af.'

In de verte hoorde Freddy sirenes. Als hij wilde laten zien dat hij geen angst had moest hij snel zijn, voordat de politie een einde maakte aan zijn voorstelling.

Hannes stond vlak achter de kaalkoppen. Donna had onmiddellijk de politie gebeld toen ze zag dat de jongens Freddy naar de brug voerden. 'Er loopt een jongen over de boog van de brug,' had ze gezegd, nadat ze het alarmnummer had getoetst. Dat was niet waar.

Het was duidelijk dat Freddy geen meter omhoog kwam op die gladde schoenen.

Hannes was opgelucht dat het avontuur goed zou aflopen. Aan de andere kant was het onzeker hoe het nu verder moest. Boy zou Freddy beslist niet met rust laten in de toekomst. Hij en Gerard zouden nog pissiger zijn dan ze al waren.

De sirenes kwamen dichterbij. Ook de kaalkoppen hadden het gehoord en werden onrustig. Omdat Boy bleef staan kijken, bleven ze allemaal staan. Ze deden niks verkeerds. Alleen Freddy was in overtreding omdat hij op de boog probeerde te klimmen.

Opeens trok Freddy zijn schoenen uit en scheurde de kleine gaten in de panty zover uit dat hij zijn voeten erdoor kon steken.

Op zijn handen en op blote voeten had hij plotseling houvast. Hij gleed niet meer terug. Als een aap klom hij omhoog.

'Niet doen!' gilde Hannes. Waarom ging die gek nu omhoog, terwijl hij hoorde dat de politie er aan kwam? Het leek of hij bezeten was of zo. Hij klom veel te snel. Als niemand ingreep...

Hij moest ingrijpen.

Hannes was zijn hele leven al een klimmer geweest. Als kleuter liep hij over alle muurtjes waar hij op kon komen en als zijn ouders hem even uit het oog verloren, zat hij in een hoge boom. Hij had nog nooit hoogtevrees gekend. Als iemand achter Freddy aan moest was Hannes het. En het moest nu gebeuren, voordat de agenten er waren en het hem zouden verbieden.

'Ik ga achter hem aan,' zei hij tegen Donna.

Ze knikte. Ze wist dat Hannes kon klimmen als een aap en dat hij zijn hele leven al dikke spekzolen droeg om niet verkouden te worden. Zijn moeder was als de dood voor bacillen die in haar huis konden komen.

Hannes liep tussen de kaalkoppen door en klom tot

hun stomme verbazing op de sokkel. Voorzichtig zette hij een voet op de boog.

Zijn spekzool zoog zich vast en gleed niet terug.

'Kom daar af.'

Hij keek om en zag twee agenten aan komen hollen. Hij moest zorgen dat ze hem niet te pakken konden krijgen en haastte zich een paar meter omhoog. Freddy was al een heel stuk verder.

Een van de agenten klom op de sokkel, maar reikte niet ver genoeg om Hannes te pakken. Hij zette een voet op de boog en gleed pardoes onderuit en viel van de sokkel. Zijn collega belde om versterking.

Hannes keek omhoog en zag dat Freddy niet zo snel meer kroop als op het eerste stuk. Uit ervaring wist hij dat hoe hoger je kwam, hoe stiller het om je heen werd. De mensen beneden werden steeds onbelangrijker en er gingen allerlei gedachten door je hoofd.

Zoals: was ik maar een vogel. Of: wat zou ik doen als ik op een onbewoond eiland aanspoelde? Hannes hield ervan om op een dak of in een boom te zitten. De meeste mensen vonden het eng.

Hij vroeg zich af wat Freddy nu dacht.

Freddy dacht niet veel. Het enige wat hij dacht was dat hij boven wilde zijn. Maar het ging steeds moeilijker. Hij had ijskoude handen en hij voelde zijn voeten niet. Daarom kon hij niet zo snel omhoog als hij wilde. Hij hoorde de jongens beneden niet meer, maar hij durfde niet om te kijken of ze er nog waren. Hij had niet gezien dat Hannes achter hem aanklom.

Hij voelde zijn spieren stijf worden en zijn kracht wegvloeien.

Hij moest ervoor zorgen dat hij helder bleef. Hij moest

ergens aan denken. Aan iets heel anders. Hij probeerde zich voor te stellen hoe hij twee jaar geleden met het schoolelftal in de halve finale stond van het paastoernooi. Juf Annemiek vond dat iedereen een keer reserve moest staan. Omdat hij alle wedstrijden al had meegespeeld, zette ze hem de tweede helft reserve. Ze stonden maar met 1-0 voor en hij was woedend. Het ging er toch niet om dat iedereen aan de beurt kwam? Het ging toch om winnen? De een kon toevallig beter voetballen dan de ander. Die ander was misschien beter in rekenen. Of nergens in. Niemand was hetzelfde.

Met nog tien minuten te spelen maakte de tegenstander gelijk. Toen was hij zo verschrikkelijk kwaad geworden dat juf Annemiek hem niet meer kon tegenhouden. Hij rende het veld in en riep tegen een van de jongens dat hij gewisseld was. In de laatste vijf minuten maakte hij twee goals, waardoor ze in de finale stonden.

Hij kon zich niet herinneren dat hij ooit zo kwaad was geweest in zijn leven.

Die kwaadheid had hij nodig om de top van de boog te bereiken.

Hij spande zijn spieren aan en klom verder. Hij was bijna boven, nog tien meter, nog zeven, nog vijf.

Hij durfde niet aan de terugtocht te denken. Als je omhoog ging, keek je niet naar beneden. Als je naar beneden ging wel.

Nog een paar meter en hij was boven. Het laatste stuk was minder steil, waardoor het leek of het makkelijker ging.

Hij ging op zijn knieën zitten om uit te rusten en hij keek in de verte naar de rivier en de lichten van de stad. Hij voelde zich sterk, hij had gedaan wat hij moest doen en waarvan hij nooit gedacht had dat hij het durfde. Hij wilde schreeuwen om te laten horen dat hij zichzelf had overtroffen. Heel langzaam ging hij staan en stak zijn armen omhoog. Hij kneep zijn ogen dicht en voelde de koude wind om zijn kop. Hij stond op de top van de wereld, dit was supercool.

Hannes had Freddy bijna ingehaald. Hij berekende elke stap die hij zette. Hele kleine stapjes waren het, een beetje schuin om meer grip te krijgen.

Freddy moest inmiddels bevroren handen en voeten hebben, bedacht hij. Het was een idioot, maar lef had hij wel. Als hij dit avontuur heelhuids overleefde, zou niemand meer tegen hem zeggen dat hij een lafaard was.

Hij keek omhoog en zag dat Freddy boven was. Hij zat op zijn knieën en rustte uit. Hij bedacht waarschijnlijk op welke manier hij verder moest. Hannes moest nog tien meter. Toen zag hij dat Freddy ging staan en zijn armen in de lucht stak. Als een echte winnaar. Het was een prachtig gezicht om Freddy zo te zien staan, maar Hannes wist dat elke verkeerde beweging die hij maakte noodlottig kon zijn. Hij bleef zo snel hij kon verder gaan en dat was maar goed ook, want opeens zag hij dat Freddy wankelde.

Freddy probeerde door zijn knieën te zakken, maar hij was zo verstijfd dat dat niet goed lukte. Daardoor maakte hij een misstap en om die stap weer op te vangen zette hij een stap terug, gleed uit en helde gevaarlijk voorover. Hij voelde dat hij zijn evenwicht verloor, maar er was niets waar hij zich aan vast kon grijpen. Het was een verloren strijd tegen de zwaartekracht. Hij maaide met zijn armen om zichzelf tegen te houden en voelde opeens dat hij van de zijkant door iemand besprongen werd en tegen de grond gewerkt. Iemand had hem precies op de goeie manier laten vallen, zoals bij rugby. Hij had zich wel pijn gedaan, maar hij lag veilig op de boog en hij viel niet naar beneden. Voorzover je van veilig kon spreken, op een smalle, steile en gladde boog, twintig meter boven de brug en veertig meter boven de rivier.

'Hé Freddy. Alles goed?'

'Hannes?' Freddy kon zijn oren niet geloven. Had Hannes hem gered?

'Niks zeggen. We moeten nog naar beneden. Ga voorzichtig zitten.' Freddy probeerde zich om te draaien en te gaan zitten. Hij lag met zijn gezicht naar de verkeerde kant. Hannes wilde dat hij voor hem kwam zitten, zoals kinderen op een slee. Door heel voorzichtig te bewegen en met behulp van Hannes, lukte het Freddy om in de juiste positie te komen. Hannes zat achter hem en zo, op hun kont schuivend, gleden ze van de boog. Freddy durfde niet te kijken. Hannes zei dat hij zijn ogen dicht moest doen en op hem moest vertrouwen. Hij remde de 'slee' met de hakken van zijn spekzolen. Het ging langzaam, maar het ging. Hannes kreeg er een ijskont van, maar dat was minder erg dan de halfbevroren voeten van Freddy. Toen ze ongeveer halverwege waren, voelde hij dat Freddy steeds zwaarder werd. Hij moest heel erg zijn best doen om hem overeind te houden. 'Freddy,' riep hij. Maar Freddy reageerde niet. Waarschijnlijk was hij door de kou bewusteloos geraakt.

Hannes probeerde meer vaart te maken maar dat lukte niet, het kon niet harder. Anders gleden ze met zijn tweeën van de boog.

Zo duurde het bijna tien minuten voor ze aan de andere kant beneden waren. Daar had zich intussen een grote groep hulpverleners en nieuwsgierigen verzameld. Er stond zelfs een cameraploeg van de televisie opnamen te maken. Kennelijk was het erg leuk om één of twee jongens van de brug te zien vallen. Ook Donna en Dubbel stonden te wachten. Donna huilde, zag Hannes. Dat had hij nog niet eerder meegemaakt. Donna huilde nooit.

De kaalkoppen en Gerard stonden achteraan.

Freddy werd onmiddellijk door twee mannen in gele jacks op een brancard gelegd en naar een ziekenwagen gebracht.

Hannes werd opgevangen door een grote politieagent. 'Dat heb je mooi gedaan jongen. Al had het ook anders kunnen aflopen.'

Hannes knikte. Het drong nog niet tot hem door dat hij een moedige daad verricht had. Maar dat was wel zo. En toen Donna hem ging zoenen, werd hij er verlegen van. Het liefst wilde hij naar huis, maar de agenten vonden het beter dat hij even naar het ziekenhuis ging om te worden onderzocht. En ze wilden ook precies weten wat de aanleiding was van dit merkwaardige avontuur.

Dus mochten ze met zijn drieën achterin een politiewagen zitten, waarbij Dubbel de sfeer bedierf door een wind te laten die hij al een half uur ingehouden had, vanwege de spanning.

21. Schaar

Het was bijna twee weken later. De kou was uit de lucht, het was een heel klein beetje lente geworden.

Freddy was zo goed als hersteld van zijn avontuur. Hij zou vandaag voor het eerst meetrainen.

Hannes, Donna en Dubbel hadden de politie verteld wat er precies was gebeurd en oma Eefje was naar het bureau gekomen om uit te leggen dat de kaalkoppen ook van plan waren geweest om brand te stichten en dat ze haar kleinzoon hadden ontvoerd.

Alles bij elkaar was dat reden genoeg voor de politie om met Boy en zijn ouders te praten. Het was een pittig gesprek geworden.

Hannes was een paar dagen lang de held van de stad, totdat een meisje van vijftien bij de Nederlandse kampioenschappen schoolzwemmen een record zwom. Zo gaan die dingen.

Zijn vader was weer thuis. Hij ging nog niet naar zijn werk en had tijd om naar de training van de Beck Street-boys in het oude stadion te kijken. Hij werd door Dubbel-bil op de tribune bijgepraat, over voetbal en over andere zaken waar hij geen verstand van had.

De moeder van Hannes was nog lang niet beter. Hannes was één keer met zijn vader naar haar gaan kijken, maar dat was geen pretje.

Ze zat in een kleine kamer in een grote inrichting en ze deed alsof ze Hannes en zijn vader niet herkende.

'Ik ben Wim,' zei zijn vader. 'En dit is Johannes.'

'Wim?' zei ze. 'Oh.'

Dat was niks. Gelukkig waren ze niet lang gebleven.

Zijn vader maakte simpele maaltijden klaar. Als hij geen zin had om te koken, liet hij een pizza komen, of hij stuurde Hannes naar een snackbar. Net als bij Donna.

Eergisteren moesten ze allebei tegelijk heel nodig een plas en toen hadden ze gezellig samen boven de pot staan spetteren. Er was niemand die er iets van zei. Hannes had zijn vader nog nooit zo vaak horen lachen als in de laatste week. En zijn vader was natuurlijk apetrots op hem, omdat hij Freddy had gered.

Hij was samen met zijn vader en met Donna en Dubbel ontvangen door de burgemeester. Ze had hem een mooi boek gegeven over voetbal en gezegd dat er een plan in de maak was om in de buurt van het oude stadion te kunnen blijven voetballen.

Zelfs de ouders van Freddy hadden tijd gevonden om hem te bedanken. Ze waren heel erg geschrokken toen ze hoorden dat Freddy half bevroren in het ziekenhuis lag. En ze waren nog erger geschrokken toen ze het hele verhaal hadden gehoord van de politie. Zijn vader besloot dat Freddy nu naar het internaat in België moest, maar zijn moeder vond dat niet verstandig. Ze begreep dat hij met zijn dwaze actie iets wilde bewijzen. Van Hannes hoorde ze dat Freddy heel graag wilde meedoen met de Beck Streetboys en dat hij geen kaalkop meer wilde zijn. Ze vond dat hij die kans moest krijgen.

Dat was maar goed ook want anders had Hannes er niets aan gehad dat hij Freddy had gered.

Dus vandaag deed Freddy voor het eerst mee op de training. Hij hoefde zich niet voor te stellen, alle jongens hadden zijn verhaal in de krant gelezen of op de tv gezien. Ze waren benieuwd wat hij kon. En Coach ook. Daarom liet hij de jongens eerst een partijtje spelen om te kijken wat Freddy ervan terecht bracht.

Dat viel niet tegen.

Eerst gaf hij de bal nog zo snel mogelijk aan een medespeler, maar na tien minuten werd hij steeds actiever. Een blind paard kon zien dat hij talent had. Hij had techniek, inzicht in het spel en hij kon prachtige acties maken. Het mooiste was als hij de bal aan zijn voet had en vanuit stilstand opeens naar voren schoot. Zoals Cruijff vroeger, dacht Coach.

Tussen Hannes en Freddy ging het heel goed. Ze voelden elkaar onmiddellijk aan. Hannes had weliswaar niet de techniek en de snelheid van Freddy, maar hij zag precies wanneer Freddy ging lopen. En dan gaf hij de bal op maat of in de diepte.

Kortom, Freddy was een aanwinst voor het team en voor Hannes was hij een geschenk uit de hemel.

Na afloop van de trainingen gingen ze samen, of met Donna en Dubbelbil naar het huis van Freddy. Daar bekeken ze dvd's van wedstrijden en spraken eindeloos over voetbal. Donna wilde vooral de keepers aan het werk zien en Dubbel hield de voorraadkamer in de gaten.

Toen het beter weer werd, konden ze in de grote tuin voetballen. Dat was niet leuk voor de tuinman, maar de moeder van Freddy vond het goed. Ze was allang blij dat hij nieuwe vrienden had en dat hij op school betere cijfers haalde.

In de tuin oefenden ze op nieuwe trucs die ze op de training lieten zien aan de andere jongens. Donna had een doel tussen twee bomen, waarin ze met haar nieuwe contactlenzen heen-en-weer vloog.

Hannes was tevreden. Zo had hij zich voorgesteld dat het moest zijn. Hij werd voetballer, dat was zeker.

Nou ja, zeker. Niets is zeker. Je kon onder een auto komen of van de brug vallen. Het belangrijkste was dat hij eerst moest worden gekozen om bij de jeugd van Sportclub te mogen spelen. Als je daar zat, kon je verder komen. Hannes was ervan overtuigd dat Freddy gekozen zou worden en Freddy zei hetzelfde over Hannes.

Maar hoe vaker ze met elkaar trainden, hoe onzekerder Hannes werd. Hij zag dat de techniek van Freddy beter was dan zijn techniek. Dat zag iedereen. Freddy kon goed dribbelen, schieten en koppen. Hij was overal goed in.

Freddy bedacht de nieuwe trucs en hij kon ze ook meteen uitvoeren, terwijl het Hannes niet lukte. Hoelang hij er ook op trainde.

Freddy was groter, sterker en sneller. Eigenlijk stond er maar één echte voetballer op het veld. En dat was Freddy.

Soms stond Hannes bewonderend naar hem te kijken als Freddy door de verdediging slingerde of een bal zomaar uit de lucht kon omhalen. Binnen een maand was hij uitgegroeid tot de sterspeler van het team. Zelfs Punter was het daarmee eens.

Maar voor Hannes was het niet makkelijk om toe te geven dat Freddy een echte voetballer was en dat hijzelf net boven de middelmaat uitstak.

Coach zag dat Hannes het moeilijk had. Hij zei dat er genoeg jongens waren met minder talent dan Freddy, die toch voetballer werden. Omdat ze doorzetters waren. En omdat ze veel vaker oefenden dan jongens die meer talent hadden. Coach had zelf vroeger ook niet zoveel talent. Daarom was hij in de achterhoede gaan spelen. Verdedigers moesten het niet hebben van hun techniek. Ze moesten goed in de positie kunnen spelen. En ze moesten een mooie trap hebben. Daar kon je op oefenen.

Hannes vond het aardig van Coach dat hij hem opbeurde, maar hij voelde er niets voor om in de verdediging te spelen. Wie wilde er nou achter spelen? Alleen jongens die groot en sterk en onhandig waren, zoals Punter. Hannes wilde doelpunten maken, geen doelpunten tegenhouden.

Wanneer kreeg een verdediger applaus?

De keeper kreeg wel eens applaus als hij een mooie duik maakte.

Maar het publiek ging vooral uit zijn dak als iemand een doelpunt scoorde. Liefst een prachtige knal, stijf in het kruis.

Hannes was een paar weken geleden voor het eerst naar een wedstrijd van Sportclub geweest. Met Donna, Dubbelbil en Freddy. De vader van Dubbel had voor kaartjes gezorgd. Hoewel het een slechte wedstrijd was, had Hannes genoten van de sfeer en van de spelers die je soms kon horen schelden op elkaar. Hij had naar de scheidsrechter gekeken, die parmantig over het veld liep en driftig op zijn fluit blies als er iets mis ging. Hij zag van dichtbij hoe een speler van Sportclub een hele gemene overtreding maakte, waardoor de tegenstander geblesseerd van het veld moest. Grote mannen op de tribune lachten de gewonde tegenstander uit. Daarover maakte Donna zich zo boos dat ze weg wilde. Ze bleef alleen maar zitten omdat ze naast Freddy zat.

De wedstrijd eindigde in een 1-0 nederlaag en toen hadden diezelfde mannen op de tribune de spelers van Sportclub uitgescholden. Eén van de spelers stak zijn middelvinger op naar het publiek en kreeg een gele kaart van de scheidsrechter.

Alles bij elkaar was het een leerzame middag.

Hannes had ook gemerkt dat Donna de laatste tijd opvallend vaak over Freddy sprak en op school zag hij dat ze zijn naam in de bank had gekrast. Donna was een paar weken geleden twaalf geworden en het leek of ze plotseling een stuk ouder was dan hij. Ze zag er meer als een meisje uit dan een tijdje geleden en ze vond opeens dat Hannes en Dubbelbil kinderachtig deden. Bijvoorbeeld omdat ze flauwe dingen over meisjes zeiden en alles stom vonden van MTV.

Met Freddy kon je gewoon over alles praten, met Hannes en Dubbel kon je alleen over voetbal en over voedsel praten.

Dat was trouwens helemaal niet waar, want Dubbel had plotseling een muzikaal talent in zichzelf ontdekt. Hij wilde drummer worden en hij luisterde naar alle platen die hij kon krijgen, waar goeie drummers opstonden. Typisch Dubbel, vond Hannes, die nog wel op pianoles zat, maar nooit oefende.

Dubbel had aan zijn vader een drumstel gevraagd voor zijn verjaardag en hij had hem nog gekregen ook. De vader van Dubbel voelde zich nog steeds schuldig over de ontvoering en hij wilde een goeie indruk maken op oma Eefje.

Dubbel zat de hele dag op school achter hun rug op de bank te trommelen en nieuwe ritmes te oefenen. Tot ergernis van Donna.

Drummer worden vond ze ook kinderachtig. Elk jongetje dat te lui was om een gewoon instrument te bespelen, wilde drummer worden. Maar Dubbel trok zich niets van Donna aan. Hij zat thuis op zolder uren achter zijn drumstel. Hij zat zolang achter zijn drumstel dat Hannes zich zorgen ging maken over zijn eetlust. Het leek wel of Dubbel minder dik werd, hij had nog nooit zo veel lichaamsbeweging gehad.

Met iedereen leek het goed te gaan, behalve met hem. Hij was nooit jaloers, maar nu merkte hij dat hij jaloers was op Freddy die veel beter kon voetballen. En op Donna omdat ze niet meer kinderachtig was. En zelfs op Dubbel omdat hij de drums had ontdekt.

In een droevige bui vroeg hij zich zelfs af hoe het zou zijn geweest als hij Freddy niet van de boog had gered. Die gedachte was behoorlijk ziek, vond hij. Hij probeerde blij te zijn met alles wat er de laatste tijd was veranderd, maar op de een of andere manier lukte dat niet. Daar kwam nog bij dat hij niet wist hoe het zou gaan als hij op de middelbare school zat. Bleven Donna en Dubbelbil en hij bij elkaar? Dubbelbil had al gezegd dat hij de Havo mooi genoeg vond.

Zijn Cito-toets wees uit dat hij makkelijk op het vwo kon meekomen.

Dubbel had zelfs een hogere score gehaald dan Donna,

die sinds ze contactlenzen droeg, de hoogste cijfers van de klas haalde.

Hannes en Donna gingen in ieder geval naar het vwo, maar als Dubbel niet meeging, was het lang zo leuk niet. En hadden ze nog wel genoeg tijd om te trainen of om in de tuin bij Freddy te spelen? Dat waren allemaal vragen, waar hij geen antwoord op wist en die hij aan niemand kon stellen. Behalve aan oma Eefje, die vaak kon raden wat er in hem omging.

Na een training had oma hem apart genomen en gevraagd wat er met hem aan de hand was. Ze had naar het partijtje gekeken en gezien dat hij stond te pielen. Ze vond dat hij er met zijn gedachten niet bij was. Hannes haalde zijn schouders op. Hij wilde het er liever niet over hebben.

'Wil je eigenlijk nog wel voetballer worden?'

Waarom zou hij dat willen als andere jongens veel beter waren? 'Ik weet niet,' zei hij.

'Denk je soms dat je geen voetballer kunt worden omdat andere jongens misschien beter zijn dan jij?'

'Freddy is veel beter.'

Dat had oma ook gezien. 'Toen je Freddy nog niet kende had je enorm veel plezier en nu vind je er niks meer aan. Misschien moet je je doel niet zo hoog stellen.'

'Wat bedoelt u?'

'Ik bedoel dat je alleen maar iets kunt bereiken als je er plezier in hebt. En waarom zou je profvoetballer moeten worden? Er zijn in Nederland ongeveer duizend beroepsvoetballers, waarvan je de meeste niet eens van naam kent. Maar er zijn bijna één miljoen voetballers die elke week voor hun plezier een wedstrijd spelen.

Dat betekent dat maar één op de duizend jongens, die er ooit van hebben gedroomd om voetballer te worden, het ook echt wordt.'

Dat had Hannes zich nooit gerealiseerd. Als je dat bedacht kon je gelijk ophouden. Eén op de duizend. Dat haalde hij nevernooit.

'Kun je iets bedenken dat je leuker vindt dan voetballen,' vroeg oma.

Hannes dacht even na. Er was niets dat hij leuker vond. 'Nee.'

'Zoals Billie, die drummen leuker vindt?'

'Nee.' Hij ging beslist geen piano spelen. Donder op zeg.

'Of bergbeklimmer?' vroeg oma.

Hij hield van klimmen, daar had ze gelijk in. Maar een berg beklimmen? Wat had dat voor nut? Je stond er even op en dan moest je weer naar beneden. Hij had een documentaire gezien over een expeditie naar een hoge berg in de Himalaya. Wat een gedoe.

Alleen de voorbereiding kostte al een jaar. En je was allang niet meer de eerste die bovenkwam op een berg. Alle bergen in de wereld waren al beklommen.

'Ik wil het liefst voetballen,' zei hij.

'Oké,' zei oma. 'Voetballen. Dat is iets anders dan voetballer worden, als je begrijpt wat ik bedoel.'

Na dat gesprek voelde hij zich een stuk beter. Hij probeerde weer plezier te hebben in het spel en daardoor ging hij ook beter spelen.

Freddy was de eerste die het merkte. 'Gaat goed,' riep hij als Hannes hem met een strakke bal inspeelde. En 'bijna oké' als er iets mis ging.

Freddy bleek ook krullen te hebben, zag Hannes, toen zijn haar weer gegroeid was.

Coach riep de jongens na een training bij elkaar.

Hij had bericht gekregen van de KNVB dat er op 15 mei een vertegenwoordigend elftal in het oude stadion van Sportclub zou spelen tegen het team van de heer Jan Beck: De Beck Streetboys.

15 Mei was al over drie weken. Hannes kreeg een raar gevoel in zijn maag. Freddy knipoogde naar hem. Kwam allemaal goed.

Donna wilde weten wat een vertegenwoordigend elftal was.

'Dat vinden ze bij de voetbalbond de beste spelers van jullie leeftijd. Daarom mogen ze de bond vertegenwoordigen.'

'Dus als wij van die gasten winnen, mogen wij in het vervolg de KNVB vertegenwoordigen,' zei Punter.

'Wie weet,' lachte Karel. 'Maar ik denk dat die jongetjes niet zo makkelijk over zich heen laten lopen.'

Oma vertelde dat ze een mail had rondgestuurd aan alle scholen in de stad. Iedereen kon op 15 mei gratis naar de wedstrijd komen kijken. En er zou ook een stuk in de krant komen om de laatste wedstrijd in het oude stadion aan te kondigen.

Na afloop van de wedstrijd zou de heer Anton van Dieren, samen met een speciale gast, de middenstip uit het veld graven. Dat was het begin van het einde van het stadion.

Hannes wilde niet nadenken over wat er daarna zou gebeuren. Als hij niet werd gekozen om bij Sportclub te mogen spelen, moest hij dan naar een ander clubje? Vogido? Daar had hij helemaal geen zin in.

Freddy sloeg hem op zijn schouder. 'We zullen die gasten een poepie laten ruiken.'

Hannes grinnikte. 'Dan moeten we Dubbelbil opstellen.'

De afgelopen weken had hij met Freddy op kopballen geoefend.

Freddy had hem laten zien hoe je de bal het lekkerst kunt raken en na een paar keer aarzelen durfde Hannes de bal tegen zijn hoofd te laten komen. Toen hij door had hoe het moest oefende hij urenlang, alleen of met Freddy. Op de training had hij al een paar keer gekopt. Omdat hij een stuk kleiner was dan de andere spelers had het weinig zin dat hij samen met een grotere jongen naar de bal sprong. Freddy had hem een dvd laten zien met kopspecialisten. Soms waren het niet eens zulke grote kerels. Ze konden wel heel goed springen en ze wisten precies op welk moment ze omhoog moesten. Timing was alles bij koppen.

'Ben jij zenuwachtig?' vroeg Hannes, toen ze alleen in de tuin bij Freddy waren. Donna moest haar lenzen laten nakijken en Dubbel zat thuis te drummen.

'Neuh... niet echt. Vroeger was ik overal zenuwachtig om. Als ik in de klas iets moest zeggen. Als ik een boodschap moest doen. Of als ik iemand moest bellen. Verlegen en bang was ik. En dus ook zenuwachtig. Ik geloofde nooit dat ik goed genoeg was om te voetballen en daarom durfde ik niet naar een club te gaan. Nu is dat veranderd. Sinds ik over de brug ben gegaan... ik denk dat ik nooit meer ergens zenuwachtig over zal zijn.'

Hannes keek hem aan. Ze hadden het niet meer over hun levensgevaarlijke avontuur op de brug gehad. Freddy had hem natuurlijk wel bedankt, maar geen van beiden hadden ze de herinnering aan die avond opgehaald. Freddy wilde het misschien niet en van Hannes hoefde het niet. Hij had gedaan wat hij moest doen en Freddy was blij dat hij nog leefde.

'Eerlijk gezegd kan ik me niet voorstellen dat jij zenuwachtig bent,'

zei Freddy. Jij doet dingen die andere jongens niet doen en niet durven. Door jou kunnen we tegen het Nederlands elftal spelen en jij loopt gewoon achter mij die brug op, zonder er over na te denken. Ik liep de brug op om te bewijzen dat ik geen piepeltje was. Het was een belachelijke actie, waarmee ik jou ook in gevaar heb gebracht. Jij deed het om mij te redden.'

Freddy zweeg even en liet de bal een paar keer achteloos op zijn voet stuiteren. 'Weet je, het kan mij niet zoveel schelen om bij Sportclub te mogen spelen. En als ze jou niet willen hebben, wil ik ook niet.'

Het was aardig van Freddy om dat te zeggen, maar Hannes kon hem moeilijk geloven. Freddy was natuurlijk dankbaar dat Hannes zijn leven had gered. Dat betekende niet dat hij zijn eigen kansen om voetballer te worden moest verprutsen.

'Je bent gek. Als je dat doet man...' Hij schudde zijn hoofd.

Hannes was niet alleen zenuwachtig voor de wedstrijd van 15 mei.

Hij had van zijn vader gehoord dat zijn moeder op diezelfde dag naar huis zou mogen. Dat beviel hem helemaal niks.

'Is ze dan beter?' wilde hij weten.

'Tja, dat weten ze niet precies. Ze heeft medicijnen die haar helpen om niet meer voor alles bang te zijn. Niemand kan precies zeggen of dat werkt.'

Zijn vader zat er ook mee. Misschien vond hij het wel beter dat zijn moeder veilig was opgeborgen en geen gekke dingen kon doen. Het was met zijn tweeën veel leuker geweest dan de laatste jaren met zijn moeder erbij. Dat was iets wat je natuurlijk niet mocht denken. Iedereen zei dat hij wel blij zou zijn dat zijn moeder thuis kwam. Maar hij was niet blij. Hij wilde een moeder die normaal deed en geen halve zool die met keukenhandschoenen achter je aanliep. Dan maar geen moeder thuis. Zijn vader en hij konden zich prima redden.

Hij vroeg of zijn vader naar de wedstrijd kon komen kijken.

Dat wilde zijn vader wel, maar hij kon het niet beloven. Dat lag aan mama. Hij kon haar natuurlijk niet alleen laten, zo'n eerste dag.

Zijn vader zat elke week wel een keer op de tribune om naar hem te kijken. Meestal zat hij naast de moeder van Donna en die twee schenen samen een hoop plezier te hebben. Hij had zijn vader nog nooit zo vrolijk gezien met zijn eigen moeder.

Het was Donna ook opgevallen. Donna was net als Freddy absoluut niet zenuwachtig. Het was duidelijk dat ze als meisje toch niet bij Sportclub kon spelen. Hoe het verder moest na die wedstrijd op 15 mei wist ze niet. Ze vond het hartstikke leuk om te keepen en ze zou het best willen blijven doen. Het liefst bleef ze met de Beck Streetboys spelen. Waarom niet? Waarom konden ze niet zelf een clubje beginnen of zich als vriendenelftal aanmelden bij een bestaande club? Met Coach en Karel.

Over een paar maanden gingen ze naar de middelbare school. Het zou kunnen dat ze net als Dubbel opeens iets anders leuk vond.

Sinds ze niet meer als een blinde koe door het leven ging, zag ze de dingen scherper. Ze zag bijvoorbeeld dat Hannes jaloers op haar was, omdat ze Freddy leuk vond. Dat vond ze grappig. Ze had nooit verwacht dat Hannes jaloers zou zijn. Het leek zo'n cool ventje. En Freddy was... tja... dat wist ze niet precies. Ze was een beetje verliefd op hem geweest toen hij verkleed was als Claire. Dat was een heel gek gevoel.

Dubbelbil had een cd gebrand met scheurende drumsolo's die hij wilde gebruiken bij het voorlezen van de opstellingen. Freddy vroeg zich af of het publiek van drumsolo's hield.

'Dat maakt niet uit,' vond Dubbel. 'Dan zoeken ze maar een andere omroeper. Het is graag of helemaal niet.'

15 Mei was op een donderdag, hemelvaartsdag. De scholen hadden vrij en het was prachtig lenteweer.

Coach was al heel vroeg naar het veld gegaan om het nog een keer te rollen en de lijnen strak te trekken. Hij stak de hoekvlaggen in de grond en spande de netten in de doelen. Op het dak van de overdekte tribune plaatste hij voor de laatste keer de vlaggen.

Het was een hele klus om op dat dak te komen, met een steile houten ladder. De vlaggen waren verkleurd en versleten, net als de houten banken op de tribune. Je moest er een kussentje opleggen om geen splinters in je kont te krijgen, maar de kussentjes waren er niet meer. Achter het doel aan de noordkant lag Abe, onder de grond.

Zelf zou hij niet meer worden uitgestrooid over het veld. Morgen ging hij verhuizen naar de flat van Eefje. Hij zag er tegenop.

Je moest een oude boom niet verplaatsen. Wat moest hij de hele dag doen als hij het veld niet kon verzorgen?

Er was natuurlijk het plan met zo'n Cruyff Court. Dat was voor de jongens een leuke oplossing. Konden ze tenminste in de buurt op straat spelen. Maar het was kunstgras dat geen verzorging nodig had. Kunstgras was de toekomst. Dat was niet tegen te houden.

Karel vond het niet erg. Als keeper had hij vroeger veel last gehad van slechte velden. Kunstgras was altijd glad en mooi.

Maar het ruikt niet naar gras, vond Coach.

'Nee,' zei Karel. 'Een kunstnier ruikt ook niet naar nier, maar het helpt wel.'

Voor Karel was het net zo erg als voor Coach. Karel had de hele dag niets te doen. De laatste maanden was hij opgebloeid. Hij zat minder in de kroeg en achter de geraniums. Hij was dol op zijn 'meissie', die nu met links en rechts kon uittrappen en de bal bijna tot aan de middellijn gooide.

Voor de jongens moest het geen treurige dag worden. Coach hoopte dat ze niet werden zoekgespeeld door de selectie van de KNVB.

Het was natuurlijk een bij elkaar geraapt zootje, dat hij in een paar maanden tot een soort eenheid had proberen te smeden. Sommige van de jongens waren enorm vooruitgegaan, anderen waren blijven steken op het niveau dat ze hadden toen ze begonnen. Gelukkig was Freddy erbij gekomen. Freddy was de enige met een natuurtalent.

Die jongen kon alles met een bal, maar hij had ook spelinzicht en snelheid. Het was natuurlijk een beetje raar dat juist de sterspeler niet in deze buurt woonde. Hij woonde in Villawijk, de enige buurt van de stad waar genoeg plek was om op straat of in de tuin te voetballen.

Coach rolde een sigaret en stak hem op. Hij had Eefje beloofd minder te roken en te drinken, omdat ze hem nog een paar jaar wilde houden. Maar hij was moe en hij vond het eigenlijk allemaal wel genoeg. Eefje was een stuk fitter dan hij. Hij was oud en versleten.

Ze was met hem getrouwd om haar schoonzoon te pesten. Hij was mede-aandeelhouder geworden en hij kon beslissen over het lot van Anton van Dieren. Dat was grappig, maar eigenlijk wilde hij niet getrouwd zijn. Hij wilde niet samenwonen in een luxe flat.

Hij kreeg het benauwd bij de gedachte. Er ging een steek door zijn borst, alsof iemand er een mes in had gestoken. Het stadion draaide om hem heen. Hij hoorde Abe blaffen in de verte. Hij hoorde het publiek applaudisseren, hij wilde zwaaien, maar hij kreeg zijn hand niet meer omhoog.

Toen werd alles zwart voor zijn ogen.

Hannes werd wakker en de eerste gedachte was dat het de dag van de wedstrijd was. De tweede gedachte was dat zijn moeder vandaag terugkwam. Hij probeerde die tweede gedachte weg te drukken, maar dat moet je nooit doen. Daardoor wordt zo'n nare gedachte juist sterker. Hij kon zich niet voorstellen hoe het zou zijn om weer een moeder in huis te hebben. Ze zouden haar samen gaan ophalen, zijn vader en hij. Zijn vader had beloofd dat ze ruim op tijd terug waren voor de wedstrijd.

Hij kleedde zich aan en wist toen niet meer wat hij moest doen.

Het was acht uur. Om half tien zouden ze pas weggaan. Het was een uur heen en een uur terug. Als alles goed ging. Hij hoorde zijn vader in de badkamer en riep dat hij even ging fietsen. Het was prachtig weer. Voetbalweertje. Hij kon even naar het stadion gaan om te kijken of Coach al bezig was het veld te rollen. Coach sliep slecht en stond meestal heel vroeg op.

Hannes wilde even op het veld staan en naar de lijnen kijken. Het was de laatste dag dat er een veld lag. Gek was dat. Nog geen half jaar geleden was hij nog nooit in het stadion geweest. Nu was het zo vertrouwd dat hij zich niet kon voorstellen dat het afgebroken werd.

Voor Coach moest het nog veel erger zijn. Die kende het stadion bijna zijn hele leven.

Hij glipte door de poort en verwachtte Coach op zijn maaier te zien zitten. Op het dak van de tribune wapperden vlaggen. De lijnen zagen er strak uit en de netten waren gespannen. Zelfs de hoekvlaggen stonden al in de grond.

Midden op het veld stond de maaier. Naast de maaier lag Coach.

Hij liep er voorzichtig naar toe, misschien lag de oude man te slapen of nam hij op zijn eigen manier afscheid van het veld.

Toen hij dichterbij kwam zag hij dat Coach in een vreemde houding lag. Zo lag je niet te slapen. Er was duidelijk iets mis met hem.

Wat er mis was, was dat hij niet meer leefde.

Hannes had nog nooit een dood mens gezien, maar je

hoefde geen dokter te zijn om te zien dat Coach dood was. Het was geen prettig gezicht. Hij schrok zo dat hij keihard wilde weglopen. Alsof hij iets had gezien dat hij niet mocht weten. De sinterklaascadeaus in de kleren- kast van zijn vader. Of de moeder van Donna die vergeten was de deur van de douche af te sluiten.

Hij had het niet gezien, dus was het niet gebeurd.

Maar dit was anders. Hij kon niet geloven wat hij zag. Dat was bij de moeder van Donna niet zo. Om het te kun- nen geloven moest hij hem aanraken. Hij liep naar Coach en pakte zijn hand vast. De hand was ijskoud, er stak een sjekkie tussen zijn vingers dat was uitgegaan. Net als Coach zelf.

Toen Hannes voelde dat het echt waar was dat Coach dood was, besefte hij dat hij de eerste was die het wist. Hij moest naar oma Eefje en hij moest... de wedstrijd. De wedstrijd zou natuurlijk niet doorgaan. Je ging niet spe- len als de trainer net dood was, toch?

Hij liep op een drafje naar het huisje van Coach. Niet dat het veel zin had.

23. Afmetingen voetbalveld

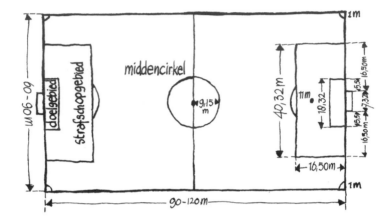

Een paar uur later zat Hannes met Donna, Dubbel en Freddy op de tribune. Hij was door alle gebeurtenissen helemaal vergeten dat hij met zijn vader mee zou gaan om zijn moeder op te halen. Nou ja, dat was het belangrijkste niet.

Gek genoeg voelden ze alle vier geen verdriet. Het was vooral onbegrijpelijk dat Coach gisteren nog op het veld had gestaan en de opstelling had doorgenomen. Ze konden niet geloven dat het waar was. Als Hannes het niet met eigen ogen had gezien en de hand van Coach had gevoeld...

Oma Eefje had zich tegenover Hannes flink gehouden. Ze vond het vooral heel erg voor Hannes dat juist hij Coach gevonden had.

Er was een dokter gekomen en Coach werd opgehaald door een lijkwagen. Daarna wisten ze niet precies wat er moest gebeuren.

Oma had Karel gebeld en Hannes had Donna gebeld en Dubbel en Freddy. Coach had geen familie die op de hoogte moest worden gesteld.

'Hij wil over het veld uitgestrooid worden,' zei Hannes.

'Hij wilde niet in een flat wonen. Hij wilde hier blijven,' zei oma.

Karel vond dat de wedstrijd vanmiddag moest doorgaan. 'Hij zou het vreselijk vinden als jullie niet spelen.'

'Ik denk dat Karel gelijk heeft,' dacht oma.

Hannes kon zich niet voorstellen dat hij vanmiddag lekker kon voetballen op het veld waar Coach 's morgens was gestorven.

Dubbel trommelde met zijn vingers op het bankje voor hem.

'Hou op,' zei Donna.

Oma had gezegd dat ze zelf moesten beslissen of ze wel of niet wilden spelen. Ze moesten wel snel een besluit nemen, want dan kon ze de tegenstanders en de gasten nog op tijd afzeggen.

Hannes had geen zin om te spelen. Donna wist het niet en Freddy vond dat ze voor Coach moesten spelen. Dubbel zei niks, hij hoefde niet te spelen. Alleen rouwmuziek, in plaats van drums.

Misschien moesten ze het aan de andere jongens vragen. Maar dat was onzin. Zij kenden Coach het best. Als zij vonden dat ze moesten spelen, zouden de anderen dat ook goed vinden.

'Coach vertelde mij laatst een verhaal,' zei Dubbel, nadat ze een tijdje gezwegen hadden. 'Het ging niet over voetbal, maar toch ook weer wel. Het leven is een soort voetbalwedstrijd, vond hij. Je moet binnen de lijnen blijven. Je moet zorgen dat je niet buitenspel staat.

Je wilt liever winnen dan verliezen en als je iets verkeerds doet krijg je straf. Dat is bij voetbal allemaal heel helder geregeld. Je weet wanneer je mag beginnen en bij het laatste fluitsignaal is het afgelopen. De scheidsrechter is de baas.' Dubbel gaf een roffel op het bankje. 'Coach vond het echte leven maar niks, zei hij. Er waren geen duidelijke lijnen en je kon nooit zien of je buitenspel stond.

Je wilt in het leven ook winnen, maar wie bepaalt wie de winnaar is of de verliezer. Wanneer doe je iets verkeerd en wie geeft het laatste fluitsignaal? Hij zei dat hij niet geschikt was voor het echte leven en dat hij daarom voetballer was geworden en gebleven.'

Het was mooi gezegd door Coach, vonden ze. Alleen Donna had er moeite mee. 'Hoe past de keeper in dat verhaal? Die heeft z'n eigen regels.'

'Je moet niet alles op jezelf betrekken,' zei Dubbel. 'Het is een leuke vergelijking, meer niet. Ik kan niet eens voetballen.'

Hannes begreep precies wat Coach bedoelde. Zo had hij het ook altijd gevoeld. Hij wilde duidelijkheid, heldere spelregels. Als niemand je kon uitleggen waarom sommige dingen wel en andere dingen niet mochten, werd je niet vrolijk.

Ze moesten vanmiddag voetballen. Hij wist het opeens zeker. Het verhaal van Dubbel was duidelijk. Ze hadden afgesproken dat ze vandaag zouden laten zien wat ze geleerd hadden van Coach. Dus moesten ze dat doen. Voor hun Coach.

'We gaan voetballen,' zei hij.

Donna knikte. Freddy gaf hem een klap op zijn schouder en Dubbel sloeg het bankje doormidden.

De laatste uren voor de wedstrijd waren zenuwslopend. Hannes had het gevoel dat alles wat hij at, langs de zelfde weg omhoog wilde.

Hij was even naar huis gegaan om zijn spullen te halen. Zijn vader en moeder waren nog niet thuis. Hannes was blij dat hij niet mee was gegaan, in de auto zou hij nog nerveuzer zijn geworden.

Hij hoopte dat zijn vader op tijd terug was om te komen kijken.

Af en toe schrok hij van zichzelf omdat hij even vergat dat Coach dood was.

Hij controleerde zijn spullen wel vier keer en hij ging naar boven om rond te kijken in zijn slaapkamer. Alsof hij er niet meer terug kwam. Dat was onzin, hij lag vanavond gewoon in zijn oude bed. Misschien was hij vanavond veranderd, dat zou kunnen.

Veel te vroeg was hij terug in het stadion. De wedstrijd begon om half drie. Het was tien over twaalf.

Karel zat in een hoekje van de kleedkamer. Hij veegde met zijn mouw langs zijn ogen toen Hannes binnenkwam. Het stonk naar rook. 'Je bent veel te vroeg, jong.'

Hannes knikte. Hij keek naar het schoolbord waar Coach gisteren de opstelling op had geschreven. Hannes stond rechts op het middenveld. Freddy stond in het midden. Quincy was midvoor.

Attakus linksbuiten. Enzovoort. De reservespelers waren natuurlijk teleurgesteld geweest. Vooral Bouki, die vond dat hij veel beter kon voetballen dan Punter of dan...

'Jij kunt misschien beter voetballen dan andere jongens,' zei Coach.

'Maar voetbal is een teamsport. Je hebt er elf nodig en die moeten een beetje in balans zijn. Je hebt aanvallers en verdedigers nodig.'

'En een keeper,' zei Donna.

'Jij bent een pingeldoos en je ziet vaak niet dat een andere jongen vrij staat. Je mag best pingelen, maar het belangrijkste is om samen te winnen en niet om te laten zien hoe goed jij bent.'

Bouki begreep het niet. Hij was boos. Vooral omdat zijn vader tegen iedereen had gezegd dat zijn zoon in het stadion ging voetballen tegen het Nederlands elftal. Al zijn ooms en zijn neefjes kwamen kijken. En nu stond hij reserve.

Hannes had aan de ene kant medelijden met hem. Aan de andere kant had hij zich op de training vaak geërgerd aan Bouki.

Eén voor één kwamen de spelers de kleedkamer binnen.

De meesten hadden al gehoord dat Coach dood was. Ze waren een tijdje stil, maar niet lang daarna werden er weer grappen gemaakt.

Punter vond het jammer dat Coach niet ná de wedstrijd was overleden.

'Hij wilde die afgang van jou niet meemaken,' zei Driss.

Om één uur kwam de tegenstander voorrijden in een grote bus van de KNVB. De jongens droegen allemaal een mooi kostuum, zoals het echte Nederlands elftal. Ze liepen met hun handen in hun zakken over het veld, alsof het van hun was.

De coach en de begeleiders van het elftal gaven Karel een hand en kwamen naar de kleedkamer om de Beck Streetboys te condoleren met het verlies van hun coach. Ze spraken af dat beide elftallen met een rouwband zouden spelen en dat er voor de wedstrijd een minuut stilte werd gehouden.

Daarna zei niemand meer iets. Vanuit de andere kleedkamer hoorden ze gelach en geschreeuw.

Karel vond dat ze zich langzamerhand moesten gaan omkleden.

Hannes kreeg van de zenuwen de knopen in zijn veters niet open.

Door de komst van de tegenstanders was hij al zijn zelfvertrouwen kwijtgeraakt. Het liefst bleef hij achter in de kleedkamer. Dat gold voor de meeste jongens. Ze keken alsof ze al met 4-0 achterstonden.

Oma Eefje kwam binnen met de rouwbanden. Ze zag de jongens zitten en begreep dat ze iets moest zeggen om ze op te beuren.

'Ik weet niet veel van voetbal. Maar ik weet wel dat je met zo'n instelling nooit kunt winnen. Jullie kijken alsof je voor straf op dat veld moet staan. Kom op zeg. Het is leuk om te voetballen en die jongetjes hiernaast zijn ook niet allemaal wonderspelers. Jullie hoeven niet te winnen, maar zij mogen niet verliezen. En denk aan wat Coach altijd zei: het gaat er niet om wie de beste is, maar wie de meeste doelpunten maakt.'

Het was niet duidelijk of het een uitspraak van Coach was of van oma zelf. In ieder geval had het een beetje geholpen.

Zelfs Hannes verliet met opgeheven hoofd de kleedkamer om aan het opwarmen te beginnen.

Aan de andere kant van het veld zag hij de jongens van de selectie.

Onder leiding van de aanvoerder trokken ze gezamenlijk sprintjes over het veld. Het zag er strak uit.

De Beck Streetboys schoten wat ballen op het doel van Donna en keken bewonderend naar de overkant. Freddy vond dat ze niet zo naar de tegenstander moesten gapen.

Hij probeerde een beetje lijn in het opwarmen te krijgen.

Hannes voelde dat hij te kort schoot als aanvoerder. Freddy was de leider in het veld. Dat was duidelijk.

Na een half uur verdwenen de jongens van het Nederlands elftal naar de kleedkamer. Hannes vroeg zich af of zij ook weer naar binnen moesten. Natuurlijk moesten ze dat, wist Freddy. Precies om half drie zouden ze samen met de tegenstanders het veld opkomen.

Dubbel was in zijn cabine bovenop de tribune gaan zitten en had gekozen voor aangepaste muziek. Geen drumsolo's maar vette marsmuziek uit de tijd dat Coach in het stadion speelde.

De tribunes waren aardig gevuld. Er waren zeker een paar duizend mensen, waaronder heel wat jongens en meisjes die het jongste Nederlands elftal wilden zien.

Hannes keek of hij zijn vader ergens zag, maar hij kon hem niet vinden. In de kleedkamer dacht hij aan zijn moeder en voelde zich een beetje misselijk worden.

'Ben je ziek,' vroeg Bouki. 'Moet ik voor jou spelen?'

Hannes schudde zijn hoofd. Hij probeerde aan iets anders te denken. Bij één van de laatste trainingen hadden Freddy en Punter een truc bedacht. Het zou prachtig zijn als ze die truc in de wedstrijd konden uitvoeren.

Punter vertelde dat hij een paar mannen van Sportclub op de tribune had gezien.

Toen kwam de scheidsrechter om de 'heren' op te halen. Het was een echte scheids, met een zwarte broek en een blauw shirt.

Het selectie-elftal speelde in oranje shirts en de Beck Streetboys in hun zwarte shirts met een witte V.

Ze hoorden Dubbelbil in het stadion de opstellingen oplezen. Het klonk prachtig.

Daarna liepen ze achter de scheidsrechter aan in een

rechte lijn het veld op. De tribunes waren voller geworden. Dubbel speelde de mars Koning Voetbal. Hannes en de aanvoerder van Oranje gaven elkaar een hand en Hannes kreeg een vlaggetje van de KNVB. Daarna gooide de scheids een euro in de lucht. Hannes mocht het zeggen.

Hij beleefde de wedstrijd in een soort roes.

Na de minuut stilte voor Coach vielen alle zenuwen van hem af en was er niets anders meer op de wereld dan de bal.

De eerste bal die hij aangespeeld kreeg liet hij over zijn voet lopen. De tweede keer hield hij de bal onder controle. Hij zag Freddy staan en wilde naar hem passen. Hij wachtte iets te lang en gaf daardoor een tegenstander de kans om de bal af te pakken.

'Sneller spelen,' schreeuwde Freddy.

Dat was het probleem. De jongens in het oranje waren niet alleen sneller, maar ook sterker en slimmer dan de meeste Beck Streetboys. Alleen Freddy was net zo goed. En gelukkig stond Punter als een leeuw te verdedigen.

Donna had na vijf minuten al drie reddingen moeten verrichten, terwijl ze zelf nog niet op de helft van de tegenstanders waren geweest. Hannes en Freddy moesten de verdediging helpen en kwamen daardoor niet aan aanvallen toe. Quincy had na tien minuten nog geen bal geraakt.

Het kon Hannes niet schelen. Hij vond het heerlijk om in een echte wedstrijd te spelen. Elke keer dat hij de bal kreeg had hij een nieuwe kans om iets moois te laten zien. Hij had al een paar keer een aardige combinatie met Freddy gemaakt en Freddy was één keer in de eerste helft gevaarlijk voor de goal van Oranje gekomen.

Maar bij rust stonden ze met 3-0 achter.

In de kleedkamer werden ze door Karel toegesproken. 'Het gaat goed mannen. We krijgen steeds meer kansen en in de tweede helft gaan we ze laten zien wat we echt kunnen. Het is jammer van die drie goals. Ze waren onhoudbaar.'

'Alleen de eerste,' zei Donna. 'De tweede had ik kunnen hebben en de derde was een fout van de verdediging.'

'Ze waren onhoudbaar,' zei Karel. Hij wisselde Quincy voor Bouki.

'Sorry jongen. Maar je staat daar voor spek en bonen. Je hebt nog geen bal geraakt. Ik ga het middenveld versterken.'

Quincy schopte zijn rechterschoen tegen de deur.

Bouki knoopte zijn veters vast. Hij keek cool.

'Denk aan Coach,' zei Karel toen ze weer het veld opgingen. 'Al maken jullie maar één doelpuntje voor hem.'

Dat was makkelijker gezegd dan gedaan. De tegenstanders hadden een paar jongens gewisseld en dat was duidelijk een versterking.

De Beck Streetboys stonden met hun rug tegen de muur. Donna dook nog een paar onmogelijke ballen uit de hoek, maar na tien minuten moest ze het vierde doelpunt uit het net vissen.

Freddy ging nog verder naar achteren spelen, zodat er helemaal geen ballen meer naar voren kwamen. Attakus stond in zijn eentje op de middenlijn. Maar Oranje kon niet meer scoren. Punter en Freddy ramden alles weg en zelfs Driss en Bouki gooiden zich voor hun tegenstander. Ze wilden niet vernederd worden.

Tot een paar minuten voor het einde bleef het 4-0. Het was een eindstand waar je mee kon leven.

Donna plukte een bal uit de kruising en hield hem even

vast, daarna schoot ze hem zover mogelijk naar voren. De bal kwam over de middenlijn en stuitte over de laatste verdediger van de tegenstander.

Attakus sprintte achter de bal aan, maar de verdediger was veel sneller. Hij schoot de bal over zijn eigen achterlijn.

De Beck Streetboys kregen zowaar een corner. Zover waren ze in de hele wedstrijd niet gekomen.

Hannes keek naar Freddy en Punter. Zouden ze hun truc durven doen? Als het niet lukte maakten ze zichzelf nogal belachelijk.

Freddy knikte naar hem. Ze gingen het doen.

Attakus nam de hoekschop van links. Hij moest de bal zo hoog mogelijk voor het doel zien te krijgen. Op het moment dat de bal het doel naderde werd Hannes door Punter en Freddy de lucht in geslingerd. Punter had het een keer bij rugby gezien. Je moest precies op het juiste moment omhoog komen en de bal moest precies goed vallen. Ze hadden het twee keer geoefend op de training. Eén keer was het bijna goed gegaan.

Dit keer moest het lukken. Hannes zag dat Attakus een aanloop nam en schoot. De bal kwam prachtig hoog.

Freddy en Punter bukten zich en Hannes stapte op hun handen. Direct daarop werd hij omhoog gegooid. Hij moest naar de bal blijven kijken, wist hij. Hij steeg boven alle spelers in het strafschopgebied uit, voor het eerst was hij groter dan iedereen en heel even had hij het gevoel dat hij zweefde. Hij dacht aan Coach en sloeg precies op het hoogste punt met zijn hoofd naar de bal. De bal verdween onhoudbaar boven een verdediger in de kruising.

Van verbijstering over zijn eigen succes vergat Hannes om zijn val te breken. Hij sloeg keihard tegen de grond.

Van de volgende minuten kon hij zich later niets herinneren.

Dat was jammer, anders had hij gezien dat iedereen in het oude stadion uit zijn dak ging. Zelfs de tegenstanders hadden geklapt, vertelde Freddy.

Wat hij zich wel kon herinneren was dat een paar minuten na de wedstrijd de burgemeester op het veld kwam.

Ze vertelde dat Anton van Dieren, de bekende bouwondernemer, had beloofd om voor de jongens van de buurt een kunstgrasveldje aan te laten leggen. Een Cruyff Court, zoals het heette.

De laatste woorden waren onverstaanbaar, want boven het oude stadion vloog een helikopter die eerst een paar rondjes draaide en daarna op het veld landde.

Uit de helikopter stapten de vader van Dubbelbil en iemand die Hannes eerst niet herkende. Volgens iedereen om hem heen was het Johan Cruijff zelf.

Terwijl de helikopter wegvloog, had Dubbelbil een drumsolo opgezet. 'Dames en heren,' riep hij. 'Jooohaaaan Cruijff.'

Cruijff nam met één hand de microfoon van de burgemeester over en stak de andere hand in zijn broekzak. 'Beste mensen. Ik ben blij dat ik vandaag de mogelijkheid heb kunnen benutten om hier aanwezig te zijn. Ik heb één keer tegen Jan Beck gespeeld en ik weet nog goed dat hij me geen kans gaf om te scoren. Jan Beck is vandaag gestorven, maar hij heeft iets nagelaten dat altijd zijn naam zal dragen. Het Jan Beck Court.'

Er volgde een donderend applaus.

Hannes keek naar de tribune. Hij zag zijn vader staan.

Zijn vader stak een duim naar hem op. Naast zijn vader

stond de moeder van Donna. Hij liep naar ze toe en vroeg of ze zijn doelpunt gezien hadden.

Zijn vader keek hem aan alsof Hannes een andere jongen was geworden. 'Ik kwam een kwartier voor tijd, ik heb alleen jouw doelpunt gezien. Ik wist niet dat je zo hoog kon springen, ongelofelijk. Voor mij hebben jullie met 1-0 gewonnen.'

'Waar is mama?'

'Ze had haar koffer gepakt en afscheid genomen van iedereen die voor haar had gezorgd. Ik hield de deur van de auto open, maar ze durfde niet in te stappen. Ze raakte in paniek en moest door de dokter worden gekalmeerd. Het leek hem beter om haar nog niet naar huis te laten gaan.'

De moeder van Donna legde een hand op zijn arm, maar Hannes voelde zich niet verdrietig. Hij durfde niet te laten merken dat hij eigenlijk opgelucht was.

Hij werd door Karel geroepen. Iemand van de lokale televisie wilde een kort interview met hem houden. Ze hadden zijn doelpunt prachtig in beeld gekregen, vertelde Karel.

Hannes wist niet eens dat er een cameraploeg in het stadion was geweest. Te gek, dan kon hij zijn eigen doelpunt bekijken...

Voor hij het wist stond hij in het oog van een camera te kijken en kreeg hij een microfoon onder zijn neus geduwd.

De verslaggever vroeg wat er door hem heen ging toen hij zag dat de bal in de kruising vloog.

Wat ging er door hem heen? Hij probeerde het moment dat hij de bal tegen zijn hoofd kreeg opnieuw te beleven. Hij zag Freddy ergens naast de cameraman staan. Freddy trok een gek gezicht.

'Gewoon... ik dacht... niks eigenlijk... ik weet niet. Die bal moest in het doel, ik wilde dat die bal in het doel ging. Als je daar mee bezig bent, kun je niet ook nog iets bedenken.'

De verslaggever knikte.

'Ik wil nog één ding zeggen. Toen we voor de wedstrijd een minuut stilte hielden, dacht ik aan wat Coach gisteren tegen ons zei.' Hannes keek even naar de grond alsof hij het vergeten was. Daarna keek hij recht in camera. 'Coach zei dat we altijd vooruit moesten denken. Ook als we met 4-0 achterstaan.'

Het voelde alsof hij zojuist tien centimeter gegroeid was.

Colofon

De jongen die voetballer wilde worden, van Dick Schulte werd in opdracht van Uitgeverij Landauer te Maastricht gezet en gedrukt door 508 Grafische Produkties bv te Landgraaf uit de Fresco corps 10/14 punts en gedrukt op 90 grams houtvrij romandruk.

Illustraties: Piekel Slors.

Vormgeving: 508 Grafische Produkties bv, Landgraaf.

1e druk mei 2006

Uitgeverij Landauer

www.uitgeverij-landauer.nl

info@uitgeverij-landauer.nl